命運人生

從面相、手相、命理
看透人生百態！

U0134605

作者	朱兆基師傅
出版	超記出版社（超媒體出版有限公司）
地址	荃灣海盛路 11 號 One MidTown 2913 室
電話	（852）3596 4296
電郵	info@easy-publish.org
網址	http：//www.easy-publish.org
香港總經銷	香港聯合物流有限公司
上架建議	命相風水
ISBN	978-988-8670-89-5
定價	HK\$88

Printed and Published in Hong Kong

香港風水命相名師
朱兆基揚威馬來西亞

香港術數界紅人朱兆基師傅,最近應馬來西亞雪莪蘭州東姑盧菲邀請,深研風水之道、五行命相之理。朱師傅的真知卓見,深受東姑讚賞。

隨後,朱師傅赴精武山廣場主持「風水演講會」,宣揚中國術數,獲得萬千觀眾熱烈反應。緊接著,朱師傅出席設於吉隆坡市中心金河廣場「中國皇朝」展覽會的風水命相談會,獲得馬來西亞房屋及地方政府部長陳祖排博士接見,使中國術數於異域提高地位,更多人們認識這門具有幾千年歷史的「實用文化」。

近年,在香港經朱兆基師傅指點迷津及擺設風水的商界名人、影藝界紅星其多,使他(她)們的事業百尺竿頭更進一步,生活更加美好。

▲為大馬雪莪蘭州東姑勞菲論相。
(東姑乃皇帝的兄弟子侄)

▲朱師傅曾指點利智擺設風水改運

▲億萬富豪湯恩佳向朱師傅請益

命運人生 從面相、手相、命理看透人生百態！

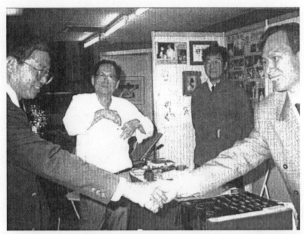

▲馬來西亞房屋及地方政府部長陳祖排博士與朱師傅握手

▲朱師傅批：盧海鵬土形入格，富相也。

CONTENTS
目錄

◎面相分析

梁家仁鼻有肉顴輔積財之相	12
命相配合把握良機	13
胡楓笑口常開正直真誠受敬重	14
「打女」梁錚硬朗不失嬌柔	15
古巨基嘴平身穩乃正直之相	16
鍾麗緹貌美如花家山有福	17
印堂有紋衝者多工於心計	18
「肥媽」相真言真女中豪傑	19
同相不同心　棟樑與海針	20
幾曾見過賭仔買肥田？	21
湯鎮宗三庭相配　娛樂業有可為	22
論眉之法　眼目相配	23
李中寧屬自力之格白手興家	24
張錚眉化刀形無霸氣	25
肉粗則有財　有福亦勞碌	26
火形相格　剛勇性急	27
龍蛇虎豹鶴猴象馬牛雞為十形	28
十濁一清與十清一濁	29
汪明荃木形清秀可惜破金	30
水形人格　貴清忌濁	31
狄龍相格顴鼻成三峰	32
成龍相格文藏武現	34
夏韶聲為人感情用事易失機	35
劉玉翠屬金水型利聲名	36
苗僑偉唇紅齒白印見黃光	37
顴鼻中土見黃光　一年運氣必定佳	38

氣色先分色澤後論宮位　　39

男鼻女眉　財星拱照　　40

劉青雲留鬚可補相格不足古有存載　　41

薛家燕有人緣有善心可享晚福　　42

蔡一傑驛馬見黃光出門貴人扶　　43

李家鼎目有顴鼻對稱武格善相　　44

俗語云「山中有真樹世上無直人」　　45

修練氣功保持情緒穩定逢凶化吉　　46

潘志文肉順眉柔嘴如弓善相　　47

良師納徒遇此相格千金不授　　48

張衛健顴護中土有財運　　49

李菁嘴角玲瓏笑似弓　可惜眉直固執　　50

陳欣健眉清目秀有官運財運　　51

羅樂林眉清目秀頭正目平君子之相　　52

吳剛後枕骨有橫坑禍福天機所定　　53

學友美薇結連理霞光照臉眉印見彩　　54

楊盼盼女中豪傑相中可尋　　55

許秋怡目正神嫻屬善相　　56

雪妮白髮火平健康之相　　57

陳家碧鼻準有肉可得良夫　　58

黎姿印堂平眉眼相配是福相　　59

何家何派均應以利人為本　　60

傅明憲天庭飽滿事業心強　　61

梁榮忠「蒜子鼻」心慈而多財　　62

程可為坤巽皆起財運可得　　63

陳小春少年得志須防桃花劫　　64

閒事莫理眾地莫企可免災禍　　65

驛馬飽滿廣闊一生多貴人　　66

CHAPTER 1

門牙落，心作惡　無緣笑，刀脫鞘 67

譚詠麟丘陸平滿一生貴人扶持 68

周華健深諳「相由心生」之理 69

斑斑眉順而直宜置業積財 71

晚境淒涼　無須問卜 72

任達華鼻圓嘴正君子也 73

張堅庭眉清目秀創業之才 74

龍目藏神吉祥相　鳳目要威眾人妻 75

天地之德　萬斛難求 76

第二章·掌紋分析

盧敏儀掌現異路成功線 78

湯鎮宗棄商從影需走艱辛曲折路 79

掌中艮宮坎宮凹缺難補救 80

尾指過三關　越老越清閒 81

泰迪羅賓乾宮飽滿可得祖蔭 82

乾宮枯乾早戒色 83

震巽傾瀉常因財失義 84

李菁坤宮較弱健康不理想 85

手掌有橫斜紋穿破小心桃花破財 86

巽宮飽滿紅潤擅理財 87

掌厚有肉　富貴多福 88

陳卓明兌宮滿利醫術發展 89

蘇志威二者兼得　掌見「三奇」 90

相有南北之分　掌無南北之別 91

吳寧掌紋有劫數影響不大 92

夏雨掌厚多肉　惜坎宮有缺 93

第三章 · 創造命運

財富有如潮起落　自身健康更重要　95

心善積福　命運可改　96

吳剛為賑災籌款浸身臭水缸　97

天機不可洩　術數非必然　98

心態與行為須平衡　99

盧海鵬相格利留港發展　100

記多年前導演黃樹棠一樁舊事　101

積善之家　必有餘慶　102

利智借牡丹催財貴　103

練氣功得法能改變命運　104

董煒心性純良得名師傳授武功　105

樓市股市　大財先行　106

蔡李佛國際聯會成立賴同人齊心　107

黎漢持諳五行演得出色　108

譚耀文是否未能珍惜成果？　109

李中寧正財在後偏財在前　110

內心妒忌激憤者易招失敗　111

精神力量　絕處逢生　112

李樂詩生成「辛苦命」相格不凡　113

無情自私自減福份清寡一生　114

自我執看和一時之快均不可取　115

車毀人無恙　巧合抑神跡　116

不同地理環境產生不同面相　117

大魚缸影響蔡國慶父女運程　118

陳友虛心好學習　成當紅導演監製　119

盡其在我　已是功德　120

狄龍深明幸與不幸之理　　　　　121

謝霆鋒：自知幸運　　　　　　　122

君子知命　知命是福　　　　　　123

葉振棠愛和平‧聲量雄厚‧人歌合一　124

金童當年轟烈視作雲煙　　　　　125

淺紫粉紅上和天干下暖地支　　　126

劉兆銘順天知命積極人生　　　　127

汪明荃平日慎言　為善舉不甘後人　128

李潤添崇尚武德有教無類　　　　129

命好運好不如流年好　　　　　　130

自私固執失運　損人利己招殃　　131

第四章‧趨吉避凶教學

何謂五行相生相剋？　　　　　　133

湯恩佳常運動保持精神健旺　　　134

四水歸源　掛畫改運　　　　　　135

風水宜化不宜鬥　　　　　　　　137

中銀大廈助禮賓府風水　　　　　138

問相之道在乎真誠　　　　　　　139

吉隆坡風水講學插曲　　　　　　140

劉家輝中土有情兩顴有力發達格　141

江濤改江圖去掉「一片汪洋」　　142

蔡一智動靜應時有君子之風　　　143

何家勁自言不向命運低頭　　　　144

五行風水學流行大馬　　　　　　145

「風水」有如春夏秋冬氣候變化　146

搵食這邊獨好 移民回流香港　　　147

好的風水局以趨旺為吉　　　　　148

聚財之宅　羅城緊密　149

「吊頭果」難化　「殺人刀」更難化　150

發達無定義　知足者常樂　151

家居風水「串心煞」山水畫可化　152

窮則變　變則通　153

胡渭康獨闖大馬發展成功　154

練氣功有助改善後天修為　155

梁挺師傅將詠春發揚光大　156

「尋龍追脈」論福澤而定之　157

趙文卓相格剛直心相合一　159

犯太歲應如何解救？　160

桃花過盛過冷或過尊皆有劫　162

過份執着　徒增煩惱　163

梅雪詩艱苦磨練貢獻社會　164

CHAPTER 4

CHAPTER

面相分析

面相——
是一種通過觀看一個人的「面部特徵」來論命；

一個人的相貌是具有吉凶的,「相由心生」即是一個人的個性、心思與為人善惡,可以由他的面相看出來。

梁家仁鼻有肉顴輔積財之相

說到命運，很多人都不期然地問何時發達。到底，發達的尺度如何衡量呢？

一般人認為發達就是有用不完的財富。

古語有云：「萬頃良田只求兩餐溫飽，千間房廈亦只睡半邊床。」

那麼，人們又卻為何要追求發達呢？這就是妄念。林蛟師傅時常對人說：「人想發達，首先要有本錢、本事、本心！」

筆者曰：「本錢、本事、本心之外，還要配合天時、地利、人和，這才算的有機會。」

諸葛孔明曾經說過：「謀事在人，成事在天。」這當中玄機甚大，畢竟，人不辛勞哪得世間財？！這就是正財。在命運學中，正財是長久的財運。可能，有些人會在偶然中得到一些橫財（意外之財），這些財必須要善用方為貴。倘有差池，橫財很快會用光，人可能會染上壞習慣，這真是由幸運變成不幸了。這正是：「搏得到也未必好。」說到財運，男相以鼻有肉，財運好；女相眉毛柔順，財運好；男相鼻見骨而露灶，女相眉硬而雜亂，都是破財相。影視紅星梁家仁，鼻有肉，兩顴輔，積財成富之相。

▲關德興仙師，梁家仁與朱兆基合攝

命相配合把握良機

有朋友剛由馬來西亞回來，由機場乘的士直達港澳碼頭，急不及待的往濠江賭場搏殺；結果，攜著重重行李和疲乏的身軀，兩袋空空的回到香港，急電朋友救駕。當然，這也是命運。

▲名導演楊家安土形入格

在相學上有如是說：「驛馬騰空蓋中土，才高八斗無仕途，兩眉如葵神無色，自坐寶山也淒零。臉闊顴骨橫又露，家財千萬轉瞬空，山根挺拔準無肉，只知好權不擅財，準厚無欄唇又翹，縱然得志也無財。

神光閃爍身搖擺，三更富貴四更窮，有腰有膊臀無肉，好入花叢富亦貧，男相倒齒唇又薄，好誇狂語卻無財。」

上述所言，說明相學看財星，有根可尋，這是外格所論；要知悉詳請，配合肉格更為準確，正所謂：「命裡有時終須有，命裡無時運裡求。」因此，命與相的配合是非常重要的，只要能把握良機，命裡有沒有都不太重要。而筆者幾個朋友，辛苦經營，疲兵上陣，時機已經盡失，縱然相好命好，亦臨敗陣。能完整無缺回到香港，已經很大的造化了。娛樂圈著名製片兼導楊家安，長袖善舞，把握良機，搖身一變，成為地產界和飲業的紅人，真箇是：朝夕之運，機不可失。

胡楓笑口常開正直真誠受敬重

早茶遇一白髮老翁，略懂五行術數，酩酊中不停地叫他同坐的朋友笑。很多人都以為老翁醉語不足為信，其實，老翁的說話所含的玄機太深。他同坐的朋友相格濁而帶固執，那會聽老翁之言。老翁有點不耐煩說道：「常笑常樂、心歡是福，你們不懂珍惜福的可貴，可惜！可惜！」

▲ 胡楓笑口常開，長壽之秘訣也

其實，在命運學中也有如是說：「心歡常樂笑亦真，眼前凶運變吉運！」

是的，執著的人何來心歡？！多疑的人何來常樂？！如此的人，笑假言虛，何真之有哉！眼前好運轉瞬成凶，身在福中，如坐針氈，是非得失，耿耿於懷，徒增苦惱。要這樣的人真笑，難於登天，福由何來？

在相學上，劍眉的人多執著，橫顴的人多霸氣，鼻細的人多計較，準尖的人多扭計，嘴斜的人多奸計，覆舟的人多帶愁，倒齒的人用心機，嘴緊的人多嬲怒，神緊的人多好威。

上述相格的人士，多是不苟言笑，縱然財富千千萬，仍是斤斤計較，貪小利而仇恨心甚重。如此看來，財富與幸福並不一定是連在一起的。娛樂圈「長春樹」胡楓先生為人正直，對人真誠，人緣好而得人敬重，實乃笑口常開之功。

「打女」梁琤硬朗不失嬌柔

在一個宴會上，我們一群人正閒談五行對人生的影響，見一又肥又腫、又老又醜的婦人，濃妝艷抹，扭腰擺臀，裙尾搖曳，有如春江之鯽，左穿右插，正是賓客滿堂，談笑風生，旁若無人，真個是「酒不醉人人自醉，色不迷人人自迷。」

有人問：「這個是主人否？」

有人答：「非也！」

有人問筆者：「如此難看之婦人，為何桃花滿地，還能令那麼多中年男人迷醉？」

筆者沉思，似悟其理，俗語有云：「男求女，隔重山，女求男，隔張紙。」

桃花之為物，有衰旺之別；夫妻之愛為正桃花，互相生旺，命中所定。過牆之愛，為偏桃花，互相生劫，後天所成。

女性之桃花時皆有之，有如春夏秋冬之不同而生滅，視乎旺時能否把握，衰時如何避去。時人不明此理，亂拋「生藕」亂惹相思，徒招煩惱而不自知，有人亦以此為榮，而自鳴得意焉。

回觀這婦人，眼迷迷而含淚欲滴，言而張嘴半合似笑，舉手投足之間，搖頭挺胸，語低笑輕，自問英雄者，能過美人關乎？此中道理，各自領悟矣。

女打星梁琤，出拳如風，出腳如箭，然而，其女性之魅力，仍沒法可擋也。

▲梁琤骨格清奇，才藝出眾之格

古巨基嘴平身穩乃正直之相

朋友取笑筆者，收到徒弟禮物就開心，其意指貪；非也！實因徒弟無機心而開心，樂其誠也。

或許有人會笑問筆者，為何視禮物如此之重？禮之輕重，乃在乎其意，君不見董卓送赤兔馬予呂布，其意在於殺丁原而收買呂布；王允送刁嬋予董卓，其意在於引呂布殺董卓。

有誰想到，十八路諸候不能動董卓一根毫毛，王允一份「禮物」而把他置諸死地，實有匪夷所思之功。兵不厭詐，用於沙場對敵，實難定錯對。倘其心若正，亦難受其禮所動也。

見諸今日社會，很多人為某些利益，用盡心機向朋友身邊等送以厚禮，無論效果如何，其目的實非常卑鄙。禮物之為物，實不何有亂也。

所謂「天、地、君、親、師」，人皆敬之，用之以禮，亦有很大的分別。至於五倫，其禮亦有所不同，而禮義之別有：「禮貌、禮義、禮節、禮儀、禮物」。幾千年的中國文化，其意實深，不可忘也！

在相學上，我們如何分別那些懂得用心計的人呢？相經有云：「嘴斜之人必定多奸計，鼻尖之人必定多扭計，目閃之人用心計，身搖之人愛偷雞。」

古巨基嘴平、鼻圓、目正、身穩，為正真之相。

▲古巨基鼻圓目正為有禮之人

鍾麗緹貌美如花家山有福

說到山地風水，首重巒頭砂水，四周有情，再論土質乾、濕、鬆、實、顏色；然後論左青龍、右白虎、前朱雀、後玄武。

風水家有言，青龍宜起，白虎宜伏，朱雀見水，玄武有靠宜厚。青龍起而不惡，利貴人扶持，男丁

▲ 鍾麗緹家山有福之相

利官途；白虎伏而存儀，利遠行順利，自身強盛，亦利管理下屬，女子得力。桃花旺相、朱雀見水而不凶，利子孫發財，利驛馬生意。無論男女老幼，均主健康開朗，相貌俊俏。玄武宜高厚，高者主貴，厚者主富，秀者主文昌，土色宜金黃潤澤為佳，此乃真龍的地，富貴無限，四周草木宜菁蔥，菁蔥者表示此山有運，若見光頹破敗，則山運有阻，若然見石，則利者大利，凶者大凶，視乎山地方位矣。

相山要訣，首怕白虎見石，見石則白虎欺青龍，女作男兒樣（男丁無出色，女作丈夫論）。白虎過明堂（朱雀位被白虎砂佔去大半），歲歲見人傷（有人言寡婦守空房）。二怕青龍見斜水，此山財難聚。三怕朱雀浪聲急，此山不利婚姻事。四怕玄武無依靠，此山不利官祿事。論山之法，言之難盡，視乎風水之情，判論得法，方向作準，時人不可亂判焉。娛圈明星，貌美如花的鍾麗緹，其家山必是山明水秀之地。

印堂有紋衝者多攻於心計

有學生問：「某人動輒就以厚禮送給我的朋友，是否有神經病？」

▲伍霖開論：魯振順眉彎神嫻隨緣之相

筆者心想：有神經病的不是某人，而是筆者這個學生。此種做法，動機如此明顯，竟還有如此愚蠢的提問。俗語說得好：「無事獻殷勤，非奸即盜。」結果，學生朋友的心果然就被某人盜去了，學生與這個朋友亦絕交了。

學生氣墳地說：「十多年的友誼，竟然獻不過幾份禮物，情何以堪？」

其實，禮物只是踏腳石，用作穿針引線的工具，而另一方面亦代表誠意和敬意。但有動機的人則用作爭取利益的武器。如果用在商場上，這是合理的；如果用在損害朋友的利益上，則有失道義矣，時人可有感乎？

總之，光棍佬教仔，便宜莫貪，則跳離是非圈矣。

在相學上，印堂有紋衝者（懸針破印），多是攻於心計之人；神閃咬齒者，多是損人不利己之人；鼻尖背劍者，多是因利而忘義之人，耳後見腮者，多是因利而無情之人。

影視紅星魯振順，眉彎神嫻，鼻圓印平，腮正額廣，乃行業不甘後人之相也。

「肥媽」相真言真女中豪傑

常道:「相真無虛,虛言無相。」其實,在五行中,「相真無虛」是事實,「虛言有相」才是真,那為何又有「虛言無相」之說呢?其道理在於一般人,每每受某些人的動聽的花言巧語所影響,疏忽了對此種人的觀察,因此在某種情形下無法看清其真面目,到吃虧後才醒覺過來,那時才感覺到自已走了眼,於是就用「人不可以貌相」來自辯,這就是「虛言無相」之說。俗語說得好:「口甜舌滑心狠手辣。」真防不勝方也。

筆者見過一個人,表面頗有財富,他時常對人說:「你想發達就跟我做生意。」

但眼見一個又一個的人,都帶著恨意和無奈離開了她,不再回頭。這個人問筆者:「我這麼好心,想別人發達,但個個都仇恨我,這是何道理?」

是的,這個人巧言動聽,本身有生活,而別人跟他做生意,損失了本來

▶ 瑪莉亞準頭厚肉心無毒

的工作和犧牲了時間,其結果是一無所收,白白陪人遊戲一場,那有甘心之理。

論此種人的相格:「鼻背如刀準又尖,未言先笑笑中言,小事喧嘩旁人恥,身如浮腫面肉枯。」

「肥媽」瑪莉亞,直腸直肚,相真言真,鼻準圓厚而肉潤,為人處世,為人又為己,真個是女中豪傑也。

同相不同心　棟樑與海針

　　誰人背後不說人？誰人背後沒人說？道理雖然如此，但是，在命運中，這就是口舌。所謂口舌，有輕重之分，輕則令人煩惱，重則對簿公堂。有些婦人，以是非口舌度日，人皆稱之以「長舌婦」而輕視之，有些男人有如「長舌婦」般整日說三道四，搬弄是非，如此男人，在命運學中視之為「男犯女心」，終生無依，到老無居。這正是相心之法。

　　相經有云：「同相不同心，棟樑與海針。」這真是至理明言，雖然很多人都明白此理，但卻不改故態，真是個「天地易改，人心難變。」說到改變命運，談何容易，比如有很多人，甚至至親，當你發覺他破相之處，用心去提點他時，每每被人誤以為有心去針對他，那不弄巧反拙。如此經驗，相信很多人亦領教過。人生於世，其實無愧於心，萬大是非都覺得不太重要了。

　　當紅時的葉玉卿，時常都在報章中見到她招上很多是非，但是，很快又見到她圓滑地解決了。「兵貴神速，不立失地。」葉玉卿深諳此理。

▲葉玉卿木形之相

幾曾見過賭仔買肥田？

常言道：「十賭九騙！」這句警世之言，相信任何人都耳熟能詳，那為甚麼還有這麼多人好賭不疲呢？佛家說：「妄念！」道家說：「非份之念！」常人說：「貪念！」無論怎樣說

▲熊良錫口才一流，好在智慧線清

法，好賭就是一種冀求不勞而獲的心魔！這種心魔與吸煙、酗酒吸毒一樣，明知對己不利，但卻偏偏要做，這亦是命運的一種表現吧。

有人會問：「既然十賭九騙，那為何又有人贏錢呢？」

這亦是命運。比如九個人運弱、一個人運強，那很明顯是運強的人有機會贏錢，九個運弱的人就輸錢。錢輸掉了和錢被人騙去了，又有何分別？

在人相學裡的「氣色歌」說：「一點黃光一點財，一點青藍一點災，唔怕滿面是塵埃，最怕戊己土不開。」正所謂，男人的鼻為財星，女人的鼻為夫星，鼻乃面相的中央，屬戊己土，假如每朝清晨起來，發覺戊己晦暗，男的財運不好，女的夫運不好，倘若戊己土發現青色或藍色，那就更為不利，不見血光之災，亦見是非口舌之災。如果發現戊己土的黃光直透印堂，即使不升官，亦是發財之吉兆。

著名評馬人熊良錫在拍戲現場，很多人都有向他問問賽馬貼士的習慣，他總是笑著問：「幾時見過賭仔買肥田？」這真是金石良言。

湯鎮宗三庭相配　娛樂業有可為

論相之法，基於三庭而起。三庭者，上庭以髮際至眉間，中庭以眉間至鼻準，下庭以鼻準至地閣。上庭象天，主少年運程、家運、父母運、官祿運、貴人運、驛馬運、文昌運；中庭主中年運程、兄弟運、夫妻運、財運、權力運、健康運；

▲湯鎮宗事業線好，一生好運

下庭主晚年運程、子女運、衣食運、壽數運等。

三庭以相配者為吉，以平滿對稱者為富，以挺企而相朝者為貴。論三庭，忌縮瑟、扭曲、長短不一。

正所謂：「上庭長，少年忙；上庭短，家運差；上庭滿，早得運。中庭長，福壽康；中庭短，膽志弱；中庭朝，近官貴。下庭長，老壽長；下庭短，老來弱；下庭滿，老來安。」

三庭不配多反覆，縱然富貴莫開心；三庭扭曲多變動，祖業無緣，兒妻不近，財富莫提，橫財損身。三庭挺企，近於帝皇；三庭縮瑟，一生難得好運；三庭相爭，起伏不定，才高八斗亦作吊兒郎。相乃先天，心乃後天，任何先天之相，後天可補。影視紅星湯鎮宗，向筆者問相，只見他三庭相配，眉目清秀，唇紅齒白，從事娛樂事業一定大有可為。

論眉之法　眼目相配

相經有云：「眉為霞霧，眼為日月。霞霧濃密，日月不明；霞霧清淡，日月清朗；日月不明，難於開運；日月清朗，運勢暢順。」是以，論眉之法，必須要以眼目相配為宜，倘若有目無眉，只是凶光一片；倘若有眉無目，則一片迷濛。

「目露凶光，眼大無神」之說由此而來。凶光過露則易招刀傷血影。眼大無神則難望官途，此乃論眉之要點。

俗語有謂：「木形難得眼藏神。」木形人之相，有眉有目，助於君皇，利貴利財，一生無絕境；可惜性傲，縱使是才高八斗，卻不為千金而賣文章。因此，有眉有目的木形人不解除心魔之困，是很難成就大財大富，而多以聲名氣節見稱。

圖右的木形人「師爺何」，道貌岸然，眉威目炯，真是個：「富貴不能淫，貧賤不能移，威武不能屈」之硬漢也。圖左的積哥，兩眉飛豎如奔月，目神嫻靜似夜星，穩坐有如泰山之屹立，神情有如秋風送爽，如此相格，有不怒而威，不語而鎮三方之蓋。雖然如此論法，但相格論之，仍以眉目為上。

▲積哥，師爺何與作者合攝

相書有云：「眉為兄弟宮，亦為保壽宮。」故有兩眉不惡則壽長，兩眉犯險則壽短之說。以眉論兄弟，主要看順逆，眉順者兄弟得力，眉逆者兄弟相刑。

李中寧屬自力之格白手興家

以相論財，由肉看起。於相法裡，肉主土，土主財、主福；眉、髮、鬚主木，木主文昌與及名氣；骨格和聲音主金，金主貴賤；眼和口主水，主壽數和健康；目和耳主火，火主陰陽格局。

李中寧的相格，取火土為主，以火生土為自力之格，後天白手興家，論其雙目，炯炯有神，銳利無比，這可能與他愛好練武有關。在改變命運的方法中，古時的術數家多以氣功和武術傳授有緣人，使很多先天不足的人得到後天的改變，使命運由弱轉強，這就是術。現時的術數家，多以數為主，至於此術很多簡直不懂。上述有言，目為火，火主陰陽格局，李中寧的雙目既然如此銳利有神，當然是純陽之局，是以李中寧以大男人本色出現銀幕能受到廣大觀眾歡迎。至於論財，李中寧肉厚而皮滑，土形入局，可惜眉髮雖好而鬚不秀，以至勞碌得財，如此格局，縱然祖先良田萬頃，亦是赤腳走他方。

從相學上論，李中寧唇紅齒白，利於聲名，食神生旺財富足而為人快樂；地閣朝上，交朋結友，面面俱圓；鼻直而有肉，準圓而有情，心生善良而仁愛，只可惜印堂下陷，平生亦要小心血光之災，小人閒事，避之則吉。如此相格只是利富而不利官途，與人合作，應以矮於自己而見肥之人為吉，最忌矮小而鼻尖。

▲李中寧火土格，白手興家

張錚眉化刀形無霸氣

男帶刀眉主有令，女帶刀眉主殺夫。這是老生常談的相法，是非常表面的。其實男帶刀眉要配雙目有神才主有令，有令者是否有權則要配五嶽的相襯；若然男相只帶刀眉而雙目無神，這只屬虛有其表，不但如此，其相格亦反格矣。如此相格不

▲作者論朱慧珊掌有肉，有財富，中為張錚

是自大好誇就是依賴成性。如男刀眉入印，輕則常見血刃刀傷，重則很易意外身亡。是以論相之道，不但要從細微處著手，還要明白相配的道理。刀眉之相若然滿臉露骨，不但沒令沒權，相反只是個勞碌無財之相。

那麼，刀眉的女相如何才算殺夫相呢？那就是刀眉逢目暴，奸門破陷眼朝天，兩顴欺鼻樑又塌，地閣無力又倒齒，唇掀獠牙聲又結，兩顴高起向天蒼。在一個面相裡很難齊集以上那麼多缺點，但無論如何，刀眉之相，相遇到上述其中之一，這個人的性格已是非常固執矣。這是否一生注定的呢？當然不是，所謂：「有心無相，相隨心生；有相無心，相隨心滅。」這就是從善而化！在五行的定律中，一善可化萬劫，一慈可以解萬災，面相祥和，萬劫萬災俱化盡。話雖如此，在世間上能真正改變自己的心性者，試問有幾多？在《枯藤老樹昏鴉》拍攝過程中，認識張錚叔，化粧師把他的眉化成闊闊的刀形，表面看似乎惡相，但是配上張錚叔的滿面祥和，掌肉綿軟而厚的手相，無論從任何角度看，也找不到一點霸氣。

肉粗則有財　有福亦勞碌

土形的相局，重於肉肥厚而不垂，配於五獄，分佈有勢，相朝互拱，眼神起而銳利，光亮而不搖晃，忌見骨露。眉雖不論，但卻忌散亂，肉厚而不惡，身形忌高，腳忌長，忌臀無肉，聲音喜

▲積奇蓮貝茜向朱兆基問命運

純厚，忌尖音狼叫，忌背見坑陷，忌膊骨高嵩，忌頸長，忌手掌薄而露筋骨，忌腳板薄細而無渦，忌兩耳兜風；男忌三鬚不配，女忌聲破結候。土形之相，五官未論，禁忌繁多，破人則敗，形成假局。正土局之相，大富大貴，兒孫滿堂，福壽康全，如此厚相，豈可以肉厚定形。如果這樣論相，滿街肥厚的人都是大富大貴了。

土形相雖肥厚而不垂為正格，但女相肉厚而企則刑夫，肉厚而橫則孤獨，肉厚無臀則無子，肉厚而粗則一生勞祿得財，助人無功，江湖人說：「人肥頸短大橫財，不論男女」，這卻未必；亦有人說：「木形難得眼藏神，木形神炯有奇財」，這是事實。因為，相經裡云：「人肥肉厚頸又短，其人有財有福」，如此說來並非橫財，因為土形人一生都是有財。

圖中所見，筆者替荷里活著名紅星積奇蓮貝茜論相，她的相格乃土形而肉粗，雖然有財有福，但亦要勞祿，到處奔波登台，幸好雙目有神，貴人處處而不至徒勞無功。有此相之人若是好賭，一貧如洗亦不足為奇。

火形相格　剛勇性急

在五行的相裡，火形人佔的比例較少，尤其是正火的人更少，在相書裡只提到，尖就是火形相，很多人把鼻尖、嘴尖就當作火形人，其實這很容易錯的。首先，研究五行相學的人都應該知道，火的形態是向上的，既然是這樣，就不能說嘴尖鼻尖的人就是火形人。

正火形的人，當然嘴尖、鼻尖，此外就是天中至火星位尖上，耳朵頂上尖，頭頂天靈位亦尖，只是地閣闊，腮骨起而見方，整個相格而論，就是下闊上尖，眉尾微微向上，眼尾奸門位收窄，走路時步穩而上身搖晃，這才算是正五行中的火形相。

▲火型人以玉器如魚得水改變人生

火形相的人，其特性剛勇、性急、忠義，財運起跌甚大。正形的人當然屬貴相，近於帝皇左右。此形的人雖然有天才，可惜自卑心重，懷疑甚大，因此，夫妻感情並不太好，容易產生婚變；在自身健康方面，容易有眼疾、心臟病、頭痛等。

由於火形人不擅理財，故此，不宜賭搏及冒險性大的生意，最適合置業土地之類。火形人的少年運程多數艱苦，大部份由技術性的工作開始，書緣較薄，父母緣亦差；即使發達成功，都是白手興家，絕少會有祖蔭。火形人逢木混即木火通明，自力更生而發跡；逢金混為相剋，病疾更多。火形相不遇水與土混，否則不屬火形之類相格論之。火形相格的人最宜在家中吉利的方位擺石龍、玉龍，取其龍可生水，以溉濟潤澤，改運之一法也。

龍蛇虎豹鶴猴象馬牛雞為十形

以相論形：統稱龍、蛇、虎、豹、鶴、猴、象、馬、牛、雞為十形。論法首推看目，有謂：「龍目藏神吉祥相，神光飄蕩也平常；虎目有威，將軍相，獅目有勢同一樣，牛目多

▲作者與羅烈攝於一九六八年

愁，龜目富，羊目多險，蛇目為賊，豹目性急，象目仁愛，猴目精靈計策，馬目帶煙逢鬼怪，雞目性急又貪威。」

其實，單憑目相是不足以定形的，如龍目的人，要配行藏，正所謂龍行虎步，必定大富，意思是行而文風不動，步落無聲。

相經有云：人肥步輕為貴格，人瘦步重為賤格。在相學而言，龍目就是目凸而圓。相經又云：「目凸多凶險。」

因此，龍目是凸目，但必須藏神而肉起，否則，使人會有敗相作好相論之，貽笑大方矣。

虎目配背拔而圓腰視為正虎形人，獅形亦同論，入格之相必為武將封候，平常之人如果相配不宜則格局相反矣，不為山賊亦作市井，好勇鬥狠在所難免。牛目多愁只是為家計，目四周露白，神情帶淚影，不但刑剋，兼且壽有不足。

龜目配人矮，肥而帶圓為正格，富甲一方不奇，若然身擺手搖則破格矣！羊目多險只因露三白，不犯水險亦易見刀光。

蛇目為眼小而光閃，蛇目者心不正而多疑，運程亦多反覆，不易與人溝通。豹目為暴，若配嘴小則敗，若配鼻長嘴長則正格，正格者利貴不利財。所謂十形的相格，正格者少，敗格者多，要深入研究才窺相法之一二，看圖中羅烈虎目斜而目炯，威嚴而冷峻。當時羅烈正紅極一時飾演大反派大奸人。

十濁一清與十清一濁

▲利智得風水之助財源廣進。

很多人都會問：利智的相與很多女子一樣，眼大眉長瓜子面，鼻直嘴小又牙齊，這樣的樣子，在很多女子都一樣，那她又為何能脫穎而出，更於這麼短的時間可以名成利就？

其實，論相之道並不如表面那麼簡單，看眼說眼，看鼻說鼻；如果這樣論相，就不會有十濁一清、十清一濁的說法了。除了這些外，還要看整個相的五官、五嶽、身形、聲音、神情的配合，這就是相法中的所謂相局，缺一便破。正所謂：「相不可破，破者則賤。」賤者下相也，運之不達也。

女相十濁一清必為皇后或官貴夫人。這是上格；中格者亦巨賈富商之妻；縱然下格之相，亦可旺夫益子，一生安樂。而十清一濁的女相，上格者為妃嬪姨太；中格者落於江湖戲子；下格者則破夫缺子，晚境淒涼，這是古代人的相法。今日論相，則視社會環境的時代改變和女性地位的提高而作適當的參考，但是，在運途上，我相信仍然是不變的，如何改變命運、把握未來，這就非常值得研究了，所謂一命、二運、三風水，互相配合，運可改矣。

從圖片中可以看到，不須論相，單看利智的手掌，足已見她名成利就。相經有云：「指如春荀得名而安樂，掌軟如綿，可當而得祿。」就看利智的掌，五峰聳立，能名成利就實屬必然的。

汪明荃木形清秀可惜破金

五行中的木形相格，主文秀聰明，多以高瘦為主。身圓者為貴，身扁者為賤。貴格者匹配良夫，旺夫發財升官；賤格者匹配愚夫，刑剋重，剋夫破財，一生辛勞。

正所謂：「本形清秀指如槍。」寧教手過膝，莫教腰過腿。男相手長過膝，帝皇將相之格；女相手長過膝，必旺夫升官發財。木形清秀之相，首

▲汪明荃木形清秀利財聲。

重眉、髮、鬚。女相髮軟如絲，眉彎如半月，神嫻目清為上格；上格之女相一生享不盡榮華富貴。男相上格則官高厚祿，近於帝皇。若然木形之相腰長於腿，此相游手好閒，懶惰成性；女相則更甚，好食貪威，若然聲破，無夫不奇。木形者腿長於腰則作驛馬格看，此格局多以出外作業離鄉別井論之，亦有人以勞碌命論之。

驛馬格的人若逢髮粗，則落於江湖，若逢眉粗，多見孤獨；若逢眉髮俱粗者則愚不可耐矣。唯此格者卻自作聰明、固執、橫蠻、賊相也。木形之相格，貴乎井井有條，行不擺動，著地無聲，聲清如鈴，十指圓淨。如此相格一生不愁衣食，旺夫益子，長壽。相經有云：「木形難得一秀。」全國人大港區代表、八和會館主席汪明荃小姐的相格屬木形清秀，可惜破金，因而勞碌營役，亦屬能者多勞之列，如此運途亦屬應格矣！

水形人格　貴清忌濁

▲朱兆基當年替黃雅烈擺風水時攝

水形之相貴乎在清忌於濁；清者利於聲名而得財，濁者貧賤而壽夭。

首先，從相學裡如何判斷水形相的格局，雖然，相裡云：「木瘦、金方、水主肥、土厚火尖定五行。」如此說來，五行豈不是很容易界定？那麼任何一個肥人就斷定其為水形？事實上，並不如此般簡單，難道土形的人就不是肥人嗎？到底，在五行裡如何分辯肥與厚呢？本書內有詳解。

俗語說得好：「人往高處走，水往低處流」，是的，水形的相是肥人，其肉下垂者是，正格水形的人，首重肉不橫生、聲音清而響亮，眉毛淡而肉色不赤，赤則屬火，水火不濟則視之為破格，破此格則無壽，眼神起而不閃，亮而不爍，動靜忌急，急者則破而無財，水形者忌聲音不響，聲不響者亦破而多病。論水形之相，正格者為清，破格者為濁。

在馬來西亞，筆者經朋友介紹替一個水形入格的男士看風水，這個人就是著名的演說家黃雅烈先生。黃先生的豪宅位於吉隆坡高尚住宅區，佔地二萬多平方尺，樓高兩層，裝修得美輪美奐；然而，屋子雖大而豪華，可惜只孤人獨住，徒呼奈何。黃先生相識遍天下，為何如此，原來他的居所位於高處，臨下則水路三分，此宅亦是水形人所忌之居所，因此在下建議黃生以石龍收水化煞，用鴛鴦蝴蝶配牡丹花，催桃花。黃先生接受我的意見，如今已成家立室，成為當地的富豪了。

狄龍相格顴鼻成三峰

說到林蛟，令人不期然想起他的一大群得意弟子，其中他最心愛的就是狄龍。

狄龍稱雄武打影壇已二十多年，拍過逾百部電影，英雄片流行多年，狄龍地位不倒。

因此，狄龍這個英雄形象似乎很難令人改觀了。

導演李釗問我：「狄龍這個相如何論斷呢？他眉

▲狄龍顴鼻成三峰，一世也英雄。

不粗，目不大，口也不大，鼻非殺氣騰騰，如何能雄霸武打電影二十多年呢？」

我解釋曰：「眉粗乃是桃花格，目大乃是屠夫格，口大只是食神格，鼻帶殺氣乃是無財格。」李釗問：「何解？」

相經有云：「眉為霞霧，眼為日月，霞霧粗濃，日月無光，日月無光，男帶陰相，此乃難於開運，終日糾纏於男女私情的煩惱事之間。目為日星，太陽之火甚強，倘若雙目無神，有如日月無光，如此目相較易招陰邪，運途阻滯也多，故非吉相也。目大而凸，視為過剛，不作屠夫亦無仕途。況且，此種相格更容易招凶險刀傷之類。

男相以鼻為財星，財星剛殺，何來有財，故富商巨賈的鼻相多呈準圓有肉。口大為食神，食神乃剋洩之意，亦非吉相也！」

李釗又問：「那麼狄龍的相好在哪裡？」

我曰：「很簡單，相經裡云：『顴鼻成三峰，一世也英雄！』

相法奇妙之處就在這裡，況且有十濁一清，十清一濁之說。」

　　話說至此，李劍方點頭領悟。相法之為物，表面看似乎簡單，實際上高深之處，有人窮畢生精神亦莫測一二。

成龍相格文藏武現

論相之道，先論神氣，繼論骨格、皮肉、身形、言笑、聲音、語氣、手足、行藏、骨肉相配、五行相生相剋、相局，然後論五官、十二宮、三庭、五嶽等。

成龍真正科班出身，武術根基甚好，無論觔斗、技擊、十八般武器，樣樣皆精，以相學論：文藏武現。何謂文藏武現呢？相信很多人都會百思不得其解，文藏者，骨細肉薄之謂也；武現者，骨起肉厚之謂也。俗語云：「文窮武富。」何出此言呢？這句俗語是否與相學有關呢？君不見古之聖賢皆寂寞，英雄難過美人關嗎？所謂聖賢者有學問而清高。正所謂，清高者，鄙視銅臭，故骨輕肉薄也，古人不富。所以在相學裡言，骨輕者無壽，肉薄者無財，骨重者有壽而貴，肉厚者富而有福。

▲作者朱兆基與成龍合攝

回說成龍的相格，天庭長而起伏，少年奔波勞碌；眉長而秀，兄弟得力而得名；目如半月帶笑，不利煙花酒色；顴鼻成三峰，一世也英雄；法令深長而有力，權威得令而帶兵；咀角見菱而歸來起，正所謂驛馬朝歸非當則貴。成龍雖有此相，亦只限於富而假貴，富者，金銀滿屋；貴者，統領千兵。成龍所拍多年武打電影，總共統領千兵，這只限於拍攝電影，故視之為假貴。以流年論，過去之運財源雖好，亦多營役，反反覆覆，幸好地閣相朝，年交四十六、七之後，直至晚年可富而有運，故福相也。

夏韶聲為人感情用事易失機

某日，與曹達華等論相論掌，高興之餘，坐在一旁的夏韶聲忍不住向筆者發問，他聲言：「我一向不相信掌相算命，不過見華叔時常讚你（筆者），加上自己亦覺得最近運程非常反覆，正所謂

▲夏韶聲感情線有島紋，小心女人

『下馬問前程』，希望朱師傅能指點迷津。」

我看看夏韶聲的掌，發覺他的掌紋，每條都是粗而有力的，這顯示他對任何事情，只要是自己喜歡的，他都會不顧一切、不惜任何代價，勇往直前，直至達到目的為止。這種性格，假如他所作的決定是正確的，那當然是一件好事；但萬一他所作的決定是錯的，那後果就背道而馳了。

在命運的學說裡，這就是執著、不知機。試問一個人坐失良機，到何時才會再有良機呢？相信很多人都有一種感覺，那就是機會瞬間即逝。夏韶聲的掌紋顯示出來的就是這樣，絕不會為五斗米折腰。

為什麼這樣說呢？因為在他的成功線中段，有一條線橫切而過，很明顯地把成功線切開兩段，再加上在他的感情線裡，暗藏了幾個小島紋，這顯示夏韶聲很容易感情用事，於是，我提醒他，不要隨便與人合作做生意，特別是女性，只見他頻頻點頭。

我再看看他的面相氣色，只見他臉龐浮現一層一層晦暗之色；於是，我特別叮囑他，在今年甲戌年不要隨便出外，更提示他盡快以古方：柚葉、柳枝、老薑、防風、米酒煲水沖涼，以增強自己的運程，夏韶聲鄭重地對我說：「朱師傅，我一定照做。」

劉玉翠屬金水型利聲名

常有學生問：「相的厚薄如何分別？」

理論上，土形、水形的相格為厚，金形、木形的相格為薄，火形、木形的相格為削。大致上，相形厚者，福份與財富亦較好；相形薄者，其福份與財富亦較輕；相形削者，其財富薄弱，福份難言。常言道：「十個土形九個富，十個金形九個惡，十個火形九個苦，十個木形九個窮，十個水形九個蹇。」

土形者，肉厚背隆，眼神銳利，行而不響，步而不擺，聲響而不急。

水形者，肉多而垂，眼神內收，行而見擺，步而有聲，聲緩而氣足。

木形者，肉企而圓，眼神藏火，行而膝直，步不起塵，聲圓帶尖。

金形者，肉實而起，眼神尖銳，膊闊肩平，步爽帶急，聲尖帶利。

火型者，肉薄骨細，眼神帶暴，腳粗手細，聲帶焦烈，行見膊搖。

以上五形，為入格相格，不是大富，便是大貴，學者不應有分毫斷差，以免謬之千里。

五形之中，混合形則次之矣，尤以金木格更是，辛苦勞碌而無財、多病，金水形則利聲名而得財，桃花旺盛，演藝界的人大多為金水形混合。木形則財來財去，只宜置業積財，不利賭博。其餘則因人而異矣！

▲劉玉翠金水型利聲名

苗僑偉唇紅齒白印見黃光

筆者經驗與心得，滿面紅光非吉兆，相經有云：「面紅如赤，必見刀傷，紅光入目，濃血之災！」

是故，紅光之說，未必是好。

相經又云：「面紅如橘，到老無兒（女則別論），幸得一子，亦須過契為吉。男相如此，必換兩妻。紅色入嘴，因飲食不慎而招災。兩顴紅赤，是非糾纏。紅困蘭台，破財難免。紅入奸門，桃花之劫。紅雲蓋印，短期必見官事。紅筋鎖馬，出外不安。紅光浮準，因財失義。紅透兩耳，因失言而損聲名。紅震破額，有囹圄之劫。」

因此，紅色浮面之說，深究之下，深不可測，差之毫厘，千里之誤。總而言之，紅光泛面，最忌游走。正所謂：「穩定慢應，所應亦輕，游走快應，所應亦重！」

或者人問：「面見紅色，是否一定見禍？」

筆者曰：「非也！」

▲苗僑偉甲木之格，大富之相

相經有云：「紅霞如霧，紅鸞之喜，印見黃光透紅，若不升官，亦必定發財，齒白唇紅，聲名遠播；臥蠶紅現，子女聰明，文章奪魁。」總之，紅色見面上，不利見赤，黃光透紅，一切都好。苗僑偉唇紅齒白，聲名遠播；印見黃光透紅，一定發財。

顴鼻中土見黃光　一年運氣必定佳

　　天有不測之風雲，人有霎時之禍福。人的一生運途本來就是這樣，但是，知道命運的人，若能洞悉天機，掌握人生運程的規律，應進則進，應退則退，應守則守，那自然使生命活得平穩和快樂，這就是「趨吉避凶」的道理。

　　「趨吉避凶」首由氣色開始，尤其是一年之初，氣色的好壞，主事一年運程的吉凶，正所謂：「一年之計在於春。」所有一年的任何事，都在春天的面相氣色去定。至於江湖傳說中的所謂：「面相氣色吉兆者，春天之色主青，夏天之色主紅，秋天之色主白，冬天之色主黑。」如果用這樣的色分春、夏、秋、冬的吉凶氣色，絕對是錯的，這些傳說完全是以五行中的春天木旺，色屬青；夏天火旺，色屬紅；秋天金旺，色屬白；冬天水旺，色屬黑。如此片面定吉凶，真是害人非淺。要知道，面相論氣色裡有如此說：「一點青藍一點災，一點黃光一點財；唔怕滿面是塵埃，最怕戊己土不開。」如此推論，面對裡的氣色，無論如何都要戊己見黃光，（鼻）只要如此，就逢凶化吉矣，尤其是春天，顴鼻中土見黃光，那就表示這一年的運氣非常好了。

氣色先分色澤後論宮位

氣色之說，分浮沉虛實，浮者即應，沉者遲應，虛者假應，實者阻滯。

色的分別大致如下：青主驚恐、飲食、水險、血光、病疾；藍主哀傷、家宅、父母、六畜、房產、破財、妻妾；黑主運滯、小人、是非口舌、官非、耗財、失貴；赤主破血、官非、桃花劫；紫主官運吉祥、發財、升職、貴人、利驛馬、紅鸞、擴展；粉紅主桃花、紅鸞、開運、橫財、遠行、升學。

論氣色之法，先分色澤深淺、類別、虛實，然後論宮位、月令、斷應於何事、何方、何時、輕重、關劫。如印堂（命宮）見紫色，主其應於五月利官運，見黑色主其應於危疾，見赤色主其血光，見青色主其受驚，見藍色主其運滯。準頭見黃光紫色，主其財運亨通，橫財近。奸門位（妻妾宮）見黑色，主其夫妻爭執；赤色主其夫妻爭鬥；紫色主其紅鸞星動；藍色主其夫妻生離死別。田宅宮見紫色主其得祖先遺產、置田地、兄弟合作發財。遷移宮見黑色不利驛馬，若然出外染病歸；見紫色利遠方發展或者有遠方貴人，甚至出外逢桃花；青色就不利遠行；赤色遠行見血光。奴僕宮見黑色主下屬作反，見紫色主下屬得力，見赤色主與下屬爭鬥不和。兄弟宮見黑色主兄弟不和爭執，紫色主兄弟合作成功。

男鼻女眉　財星拱照

相信每一年之春，很多人都會算流年、問去向，這是人之常情。當然，人明白命運，知道方向，做起事來便會專心一意、事半功倍、一帆風順，這就是研究命運和知道命運的好處。

問命運、流年有很多種方法，如八字命運、卜卦、氣色、甚至風水等，通常簡單而常用的多以面相論法。

男相以鼻為財星，女相以眉為財星，男相鼻運由四十一歲至五十歲，女相眉運由二十九歲至三十四歲。換言之，男相的鼻勢好而氣色又好，那就表示該十年的財運順利，女相的眉清色秀，亦同論。不過女相行財運的時間比男人短，那是因為女相除了自己本命行財運外，其配偶的財運，女相亦可分享。因此，實質上，女相行財運的時間是比男相長的。右老相傳有如是說：「做男人，一生兒女債，半世老婆奴。」論命運的人亦如是：「女命從夫化」，因此，好命的女人，如果能嫁得一個勤奮努力的丈夫，即使本人懶惰無能，其財運亦一樣好的。不過，這個女相一定是鼻與眉的相格和氣色都非常好，倘若不是，那命運又作別論矣。

劉青雲留鬚可補相格不足古有存載

於香港電影協會宴會上，筆者與名導演楊家安相遇，久別重逢，大談五行命運，感慨中國術數的神奇和玄妙。站在一旁的電影紅星劉青雲，忍不住問：「有人叫我留鬚，不知是凶是吉？」

▲劉青雲土形相不應留髮為吉

楊家安搶着客：「你是青春偶像，留不留鬚，自己識想！」

至於留鬚之說，相經有云：「五柳鬚清，丞相之格。」

所謂五柳，分鬍、鬚、髭、鬢，術數家多有用鬍作補地閣的不足，以令人的晚運相局改變，得以安享天年。

用髭作補人中的不足，以令人的子孫運改變，得子女孝賢之理。

用鬚作補食倉祿倉的不足，以令人的貴人食神旺相，得四方貴人相助，驛馬吉昌之功。

用鬢作補金縷歸來的不足，以令人財富運增強，得以財源廣進，積財成富之效。

無論效果如何，補其不足之法是古有存載。而劉青雲的相格，骨格清而分明，五岳朝而中土聳，無論財運與聲名都是很有利的。至於有人叫他留鬚，卻不知道理何在。倘若留髭，以補人中的不足，亦應四十過後才是時候。飲食小心，此相應該緊記。

薛家燕有人緣有善心可享晚福

有個學生問：「痣生於前自在，生於背辛苦，何解？」

古老相傳，寧願痣背人，莫教人背痣，學生所問之事乃源於此。

其實在人相學上，痣的部位亦有分男女，女相身痣生於前是吉相，生於後是凶相；男相生於後是吉相，生於前是凶相。因為女人屬陰，痣生於陰處為貴；男性屬陽，痣生於向陽之處為富貴。因此，古老相傳之論痣其實是指女相，并非男女同論。在理論上，身體前有痣的人，是可以享福之相，亦可以說為好享受之相，因此，女相的痣生於身體之前，可以享夫福，旺夫發財，男相的痣生於身體之前者，就是貪圖享樂，玩物喪志，甚至懶惰，而身體後（即背上）有痣的人，甚至可以背負重任、守信的、堅持力好，辛勞勤奮，屬創業的人。古時人的思想多以男性為主，因此視女性要拋頭露面，勤奮工作為賤，今日時代不同，應該說，女性身體上有痣都是好相，男性就要人背痣為吉相，痣背人為凶相矣。

影視紅星薛家燕相格清貴，準頭肉厚透司空主得聲名，雙目望人中主得「有

▲薛家燕天中有痣，主有信用

信用，有人緣，有善心，男相則別論矣！

蔡一傑驛馬見黃光出門貴人扶

現今社會，交通方便，有些人坐飛機家常便飯，今日南來明日北，黃河遊罷到長江。

不過，出外遠行，人人都希望開心之餘，平安順利，有的更希望出外遇貴人，發財得貴。

但是，世間不如意事，十常八九。因此，研究五行的人，就吸收了古人的經驗，用相學流年和氣色，以定去向，冀得趨吉避凶。

▲蔡一傑金木形，中晚年發財之相

相經有云：「若然問驛馬，邊城黃光現，四方貴人扶，求財得財。若求桃花配準頭，男相配眉彩，奸門若晦，男女都是凶；準頭眉彩見黑氣，男女出外主破財；若然見紅赤，出外見血光。」

因桃花破財事不太大，因桃花而招凶險官非，則可避則避矣。若見印堂黃光現，天大的劫數，都只是虛驚一場，逢凶化吉矣。

有人問：「驛馬發青暗，有何解救？」

發暗不出門，何懼之有！

有相學氣色論中有如是說：「驛馬發暗，出門難成。」

既然出門不成，那又何懼之有呢？

「草蜢」蔡一傑，驛馬邊城見黃光，出外遇貴人；印堂眉彩齊透，財運名氣有如日升；準頭兩顴色見淨，是非不入門；嘴如菱角地閣方，一生好運。

李家鼎目有情顴鼻對稱武格善相

學生問：「包二奶的相何論法？」

相經有云：「眉如蝴蝶兩雙飛，更逢雙目笑瞇瞇，最愛花叢三兩轉，一生都是為情迷。」

相經如此論相，只說明此

▲玄因子論：李家鼎木火通明之武格相

類相情和桃花旺，亦可以作喜歡花天酒地論；因為眉如蝴蝶和雙目笑瞇瞇，在相學上，亦是眉目有情，相經又云：「論相之法，有情總比無情好！」

未論包二奶的男相如何之前，首先我們要知道包二奶的人，在心態上，要表明自己的優越和與眾不同，但在事實上，他們必須要面對某一方面的痛苦和犧牲，對於後果如何，他們似乎沒有考慮。在理論上，如此不問後果而胡作非為，實屬愚魯的行為，至於包二奶的理由，那就公說公有理了。

舊社會以男性為中心，大清律例亦以三妻四妾為平常。因此，包二奶這名字似乎是現代的。在相學上，包二奶的相，古人沒有評論過。不過以事論相，鼻為財星，亦為妻妾；眉為妻星，亦為心性。因此，包二奶的相應如下論：「兩顴欺鼻，夫妻無情；鼻尖帶曲，拋妻棄子；鼻背如刀，殺妻損朋；眉亂眼閃，桃花亂性；眉濃目暗，花下亡魂；眉硬如劍，無情無義；眉葵目小，三妻無終。」以上論相男女俱同，亦非善相。修心改相，到老有依。

李家鼎眉目有情，顴鼻對稱，雖屬武格，但卻屬善相，晚年有依，運勢昌隆。

俗語云「山中有直樹世上無直人」

看電視劇「真情」，描寫倫理非常深入，對人性的刻劃亦清晰。其實，「親情」是人類社會必然產生和必須保存的。

話雖如此，今日社會人類在利慾薰心之下求存，卻要面對各種不同形式的鬥爭和心態上的衝擊；當然，基本上，人能在適當的環境下保持平衡的心態，正常的行為，那是必需的，真個是功德無量矣！

「真情」劇中做母親的李司棋，演繹絲絲入扣，切切實實地把母親的慈愛和無盡的奉獻精神表露無遺，這正是正常情形下的表現。但是，每一個母親如此，那又是否每個兒子都知道呢？這就要看命運裡的「六親關係」。

古語有云：「簷前滴水，分毫不差！」寓意種善因得善果，付出多少，就會收穫多少，循環不息，永不變改。到底，人與人的關係是否真的如此簡單呢？答案是絕無可能的，俗語說：「山中有直樹，世上無直人！」我們生存在這品流複雜的社會，如何去分別人的忠、奸、善、惡呢？

在相學上，簡而言之：「鼻正心誠，準頭有肉心無毒；眉毛柔順，心生善良；眼神閃爍心鬼鼠，無言自笑心不正；無端殷勤，必有所圖；人言側耳，圖謀不軌；視人斜目，心術難測。」

命運人生
從面相、手相、命理看透人生百態！

修練氣功保持情緒穩定逢凶化吉

▲朱兆基為抗癌協會表演氣功籌款

夏日，香港曾發生多宗鯊魚咬死人事件，市面呈現一片緊張氣氛。研究命運的人都知道，這是犯水險的命運，才會死於水中。命書有云：「水旺無圍，必見水險，身弱無依，水火不濟，必逢巨變。」被鯊魚所傷害者，有可能是這種命吧？

有學生問：「命裡如何，很難知道；相裡如何，一目了然。何種相會犯水險呢？」

從相學的角度論，眼為河瀆，目為陽；眼大目小，陰陽不濟，有如一盞孤燈浮大海，必犯水險無疑。如此眼相，心神不定，思亂意迷，欠缺計劃和分析力。因此，想避水劫，必須避免垂釣、玩快艇、划船、海泳，甚至開快車、酗酒。

於此，命運掌握在自己手裡，才是真言，但是重要的還是要知命和相信命運。

又有學生問：「三白眼又如何呢？」

三白眼分上三白和下三白。上三白眼的相，精神緊張、情緒不定、容易形成心跳和精神分裂，亦易犯水險。處於此種情況下的人，應該修練氣功，保持情緒穩定，自然逢凶化吉。至於下三白眼的人，犯水險亦是一樣，不過較為輕微，思想容易鑽牛角尖。但是，此種眼相的人卻比一般人聰明，可惜幻想卻多，如果在科學及創作上發展，那可能是天才了。

潘志文肉順眉柔嘴如弓善相

有個朋友問我，為甚麼人人都講好心有好報、惡人自有惡報，是否真有其事？

筆者曰：「此言非虛！事實就是如此！」

這個朋友一臉茫然，沉吟着，似乎對這句古老名訓有所懷疑。

▲潘志文目善眉柔真善相也

常言道：「人因執着而久貧！」其實，執着，在人生中可說常情，人因一時的迷惘而執着，帶來不少煩惱和損失。但是，迷惘之情有時自醒，有時得人指點而醒，這總是件好事，人能見一事而長一智，這已是自得其果了。

回說好人有好報，其理在於「人因無求而自歡，無牽掛而自樂。」如果能善用餘力而助人，更是功德無量，一旦人能時保持身心愉快，相信病痛亦會減少。這是人無害人之心，亦是無愧於世。佛家有言：「凡事未必盡如人意，但求無愧於心！」這已是佛家修為的至高境界矣！

那惡人有惡報，其理簡單，俗語有云：「上得山多終遇虎。」人的心惡，其人無情，貴人必短；每事耿耿於懷，不是百病叢生，便是自尋絕路。正是：「人善人欺天不欺，人惡欺人被天欺。」其理永遠不變。惡人之相、肉橫、嘴閉、眉粗是。在一宴會上，巧遇影視明星潘志文，只見潘志文的相格肉順、眉柔、嘴如弓，果真善相也。

良師納徒遇此相格千金不授

古人納徒授藝，特別是風水術數一類，要查祖宗三代，其旨在於身家清白、有根有苗、品格善良，方可傳授，倘若有所懷疑，千金不授。

古語有云：「水能載舟，亦能覆舟」，風

▲洪欣金水相利聲名，不利早婚

水猶如水一樣，可以救人，亦可害人——因此，傳藝得師，除了緣份之外，還必須要品格純正，以免遺害社會。

基本上，風水之術有十種人不宜傳授：一忌鼻尖嘴尖，二忌耳反腮反，三忌身搖腳擺，四忌鼻背如刀，五忌神閃搭頭，六忌未言先笑，七忌嘴緊神緊，八忌耳後見腮，九忌倒齒唇飄，十忌奸險小人。

上述十種相格的人，不可為友，倘能敬而遠之，實是十世修來；倘若不幸遇上，只要心存正道，亦未必受其所害。

正所謂「良禽擇木而棲，良師論福點穴」，今人要求頗高，卻不知積福之道，實世途難測也。

梅艷芳母親發起成立了癌症基金協會，一群少壯男女藝員包括洪欣非常落力協助籌款，此亦積福一法也。

張衛健顴護中土有財運

有個十多年不見的朋友，偶然相遇，知道筆者設館傳授風水命運之學，問道：「二十年前，『我是山人』說我四十三歲發達，當時你亦在場；你看我現在這個模樣，發從何來？」

▲ 張衛健眉尸水豎目神足少年得志

筆者這個朋友，眉清目秀，只是目帶淚光，鼻圓管直，兩顴可惜見骨；從相學的角度看，眉清主三十一歲至三十四歲，理應行運，而且妻財俱得，朋友答：「是！」

目帶淚光，理應犯桃花劫，朋友答：「是！」

相經有云：「劫後可以重生」。那何以這個朋友劫後不起？其因在於鼻管過直，為人自我主觀，不服命運，劫完又再犯劫。只聽「我是山人」一言，中年發達，就不思進取，守株待兔。

鼻管圓直，鼻為財星，財旺可以；兩顴見骨，相經裡云：「雙峰插雲，中土受剋，正財可得。」

所謂正財，是必須要用勞力汗水掙得的財；若然行偏走精，橫財偏財、意外之財，一律不可以貪；若有此財，得亦必見傷身之劫。

這個朋友，若不修身正道，到老無依，中年無財，那有何奇？那為何當時「我是山人」如此贈相？因為行色匆匆，大庭廣眾，真言難詳，實可諒也！

歌星張衛健，兩顴護中土，中土號四方，一定有財運。

李菁嘴角玲瓏笑似弓　可惜眉直固執

有一句很多人都識講的說話：「一個成功男人的背後一定有個好女人支持」。那麼，在相學上，那種好女人如何分辨呢？

相經有云：「兩眼光不凶，雙目望人中，準頭透司空，兩耳輪廓分西東，嘴角玲瓏笑似弓，地閣方圓肉不鬆，聲如玲瓏忌破鐘，髮柔如絲似春風，眉如彎月守印中，顴鼻互朝拱。」

以上相格，能得一二，已是女中賢能者；若得三四，已非富則貴矣；若得五六，已大富大貴矣；若得七八，已侍於君皇之側，享盡榮華富貴矣；若得九十者，完人也。

然而若有一破，則相局全變，難言貴格矣！何謂一破，若然準頭破，則雖富貴而無夫；雙目破，則雖富貴而無壽；奸門破，則雖富費而煩憂；嘴角破，則雖富貴而無食（無兒之謂也）；雙目破，則雖富貴而無依；地閣破，則雖富貴而晚年清苦；聲音破，則雖富貴而餓死；兩耳破，則雖富貴而無親；若頭髮破，則雖富貴而勞碌，若顴鼻破，無富貴可言；若印堂破，則雖富貴而孤獨，若司空破，則雖富貴而多小人，此乃吉中見凶之相也。

影視紅星李菁嘴角玲瓏笑似弓，顴鼻兩朝拱，可惜眉直固執，此乃富貴而勞祿之相也。

▲李菁咀角玲瓏笑似弓，食神好也

陳欣健眉清目秀有官運財運

人人都想桃花好，誰知桃花有遲早。

誰料花開千百日，三陽花作牛眠草。

桃花之為物，有好壞之分。在相命經中有曰：「桃花分貴賤，貴者為官格桃花，萬人愛戴，得人尊崇；賤者為飄

▲陳欣健顴鼻相輝，財權兩旺

盪桃花，千人共枕，終日難安。」

桃花除卻分貴賤之外，還有清濁之分。清的桃花亦屬貴格，得夫妻和合之吉，得兒女成材之貴；濁的桃花屬賤格，夫妻有離異之苦，兒女有相拒之痛。此乃論桃花之要訣。

現今之人論桃花，視桃花可否得財，有若桃花生財之相，如今日的演員、歌星、模特兒、美容師、化妝師，甚至售貨員、酒樓茶室的招待員等，都屬桃花生財之相，此中，當然還要分高低、分清濁、分好壞。

如此說來，其實人人都是桃花相，只不過相還相，運還運，如果一個人有桃花相，沒有桃花運，這亦形同虛花，恍眼即逝。如果一個人沒有桃花相，而卻有桃花運，那就有如命坐桃花、路路暢通。

論桃花之法，男相桃花在眉；女相桃花在鼻，男相眉清目秀，女相鼻圓顴順，皆屬桃花旺相，一生貴人扶持，財權兩旺也！

歌、影、視三棲強人陳欣健，眉清目秀，顴鼻相輝，官運、財運皆順利之相。

羅樂林眉清目秀頭正目平君子之相

近年市面經常出現「天仙局」及「迷魂黨」等歹徒，四出行騙，令很多無知或大意的人中招，蒙受莫大的損失。有謂：「人心隔肚皮」，誰個是忠？誰個是奸？實難分辨。相經有云：「若知別人算死草，仰面姑娘嗒頭佬。」因為這種行藏的人多是攻於心計，使人防不勝防。但是，只要自己平時多留意以上行藏的人和不存貪念，相信蒙受損失的機會定能減低。

正所謂：「光棍佬教仔——便宜莫貪。」人想發達，必須靠血和汗，靠自己的技術和智慧，加上勤奮努力，相信機會是比別人高的。俗語說得好：「哪有這麼大的蛤蟆隨街跳呢？！」

因貪變貧，比比皆是。生長在今日這樣開明的社會，如果還要中那麼膚淺的騙局，真是活該。也有人說：「橋唔怕舊，最緊要受。」因此，做人必須要腳踏實地，莫貪奢華之妄，任莫大的誘惑，何足懼哉！

在影視圈中，一向予人忠誠老實，從未有緋聞傳言的羅樂林，其相格眉清目秀，頭正目平，實君子之相也；只視兩顴不起、五岳不朝，就知道此相格不會與人相爭，事無大小，都是隨遇而安，名利的得失，亦視作等閒，但求敬業樂業，努力而作，成敗何足論哉？真難得也。

▲羅樂林頭正目平誠實之人也

吳剛後枕骨有橫坑禍福天機所定

報道指藝員吳剛患了喉癌，這件事令很多人都感到不安。一個為慈善不辭勞苦的年輕藝員，竟會患上如此的惡疾，或許有人會說上蒼不公。

公與不公平不是人說的，應該由上天所定；既然由上天定，就應該與其家山、祖先的福德及個人行為有關了，說來真是話長。筆者認識吳剛十多年了，就幾年前曾合作拍過一部有關五行風水的電影《大靈通》。片中，筆者除了批算「四大天王」的相格外，到結尾時，筆者有言：「福份要積，相貌自然；相貌縱好，還須配合方為貴；就如：頭大身小無壽，頭小身大無智。」

說到命運由天所定，定與不定，誰人可知；五行變化，就表露無遺。筆者曾替某製衣廠舊址看風水，後來廠方購入新廠一幢，另覓高手堪察。友人伍霖開告知筆者內局，再駕車載筆者看外局，筆者斷言，此廠一定火燭，不出三月，果然應驗。

吳剛知道此事，曾約筆者於「金域」暢談五行之妙。筆者更告知吳剛，其後枕骨處有一橫坑近三寸之多，吳剛茫然，頻問所言所事？筆者笑曰：「天機不可盡洩。」吳剛似亦明白。今日他的遭遇，正是天機所定者也！

學友美薇結連理霞光照臉眉印見彩

▲羅美薇金清水秀之格

時常聽到傳說，馬來西亞屬多妻制的國家，其實不可盡信，只是人了回教的人，一夫可以四妻。如今，這種制度已不合時宜矣，由於當地女生已經覺悟到自己的地位和尊嚴，很多女性都不再容忍這種現象的存在，不再默默啞忍，於是站起來了！

筆者所見所聞，馬來西亞很多成功的男人都因為納妾而至破產，甚至身敗名裂。為甚麼呢？原因有者富而不學，不明處世之道，自以為是，勝利沖昏頭腦，財多而無可適從，醉生夢死，吃喝玩樂，誤解男兒本色，此乃不知命的玄妙也。

自古以來，有人三妻四妾，不亦樂乎。有人到老無妻，不過隨著時空不同，天有日月陰晴之變，地有山河高低之變，陰陽有順逆循環之變，男女有媾合離異之變，老少有依序生死之變，無論如何之變，取其鍾靈毓秀之美，棄其污穢朽腐之惡，實難能可貴也。

張學友與羅美薇的婚訊，此乃人生樂事，喜形於色，自然霞光照臉，眉印見彩，乃吉兆之色之！

楊盼盼女中豪傑相中可尋

▲楊盼盼顴鼻成一氣，女中豪傑也

武打女星楊盼盼乃筆者的功夫弟子，尤其在拍攝「鴻勝蔡李佛」期間，筆者更風雨不改，與陳少鵬導演一齊，訓練楊盼盼的「佛家拳」。

在銀幕上，楊盼盼的表現非常出色，因此，當年的無線電視台慶特地邀楊盼盼表演難度非常高的「死亡特技」，回想起來亦不禁肝膽俱寒。

或許，有人會問，如此勇敢的女性，能否在面相中看得出？

「鬼谷神相」編《勇智歌》如是說：「邊地隆隆起（邊城、地閣兩相朝），顴高氣吐雲，雙眉尖入鬢，塞外上將軍。橫肉面毛長，銀紅面色光，聲如雷電殛，提劍坐高堂。額廣柱骨起，眉濃目光芒，為官必武將，聲與異常人，後俯前如仰，連霄坐不眠，聲嚮隔山聞，貴居文武職，喜怒神如一，窮通氣不殊，面橫金紫色，安坐龍虎位；顴鼻成一氣，腮骨隱現威，兩眉如鷹撲，神目兩相稱，拳伏下山虎。」

《勇智歌》中，并沒有明顯說清屬男相還是女相，不過，看起來似乎講男相居多。倘若女相如此，那就更加神勇矣。

回說楊盼盼的相格，兩顴與鼻成一氣，雙目神炯見眉精，女中豪傑，實相中尋也！

許秋怡目正神嫻屬善相

常言道，行善可以積福，相信人不因積神而行善，其功德更高。

古人云：「莫因小善而不為，莫因小惡而不改。」善惡本無分大小。善與惡，常在一念之間。所謂：「善向心中求，惡向膽邊生。」有些人愛雞蛋裡面找骨頭，其惡不亞於賊；有些人，能忍一時之氣，其善不亞於佛。為善為惡，只在乎己之所慾，有道：「愛之欲其生，惡之欲其死。」此乃自私行為，黑白不分，亦為惡之根源。福從何來？有些人言善而心惡，其性之惡，更甚於蛇蠍，其福必減也。又有些人，因惡而行善，此乃心有所求，以功惡補其過，又可有德乎？

佛家有言：「人若為善，福雖未至，禍已遠離；人若為惡，禍雖未至，福已遠離。」

善與惡之所為，只求心之所安，人之所樂，功德無量矣。

在相學上所言，眉豎主好勝，鼻背見骨主霸道，鼻準尖啄主自私，鼻若露灶主貪婪，山根挺主無情，咬唇而言主無義，嘴斜之人主奸險，搖膊之人主不忠，閃目之人主盜賊。目正神嫻主心善，鼻頭有肉心無毒，行而徐緩人清靜，嘴若含珠主博愛，眉清而順人中正，善相惡相此中尋矣。許秋怡嘴如菱角，鼻頭有肉，眉清而彎，目正神嫻，真善相也。

▲許秋怡眉清而彎，善相也

雪妮白髮火平健康之相

生老病死，人生難免，只望能夠活得快樂，死得自然，無憾矣。

五行定數，相生相剋，金木水火土互相混化，相生者旺而有利；相剋者，弱而見劫。

▲雪妮銀絲見彩，壽相也

先天五行，火代表眼目、心臟，木代表肝、膽，水代表腎、耳，金代表肺、聲音、氣管，土代表皮膚、腸胃。

在面相學上，看眼知心火，看髮知肝膽，聽聲知肺臟，看鼻知腸胃，看耳知腎水。

眼紅目赤，心火必盛，目暗無神，心臟弱也。毛髮枯黃，肝膽必弱，毛髮油潤，肝膽必強。耳紅主肺燥，腎水也枯乾，耳色晦暗主腎弱，耳色明潤主腎強。聲音沙啞，肺燥而疾，聲清如水，肺平氣順，聲音斷續，肺有重疾，聲音雄壯，未必見佳。鼻色暗滯，腸胃必然暗病，鼻色油潤而黃淨，腸胃健康而有財運矣。

五行的生剋，如鼻色晦暗不忌目赤，鼻色赤紅不忌目暗。毛髮枯黃，耳色明潤可以補救，如遇聲嚮如雷則不利矣。眼目赤紅，耳色明潤可解矣，毛髮枯黃不利也，毛髮油潤亦可解矣，如此類推，變化無窮，實非一朝一夕可理解也。

電影明星雪妮，雖然滿頭銀絲，然其金清水美，木秀火平，乃健康之相也。

陳家碧鼻準有肉可得良夫

說到命運，自然就論及「妻、財、子、祿、壽、貴人、流年。」

▲作者和陳家碧

在面相學中，大多人用十二宮作為基本的標準，但凡紅潤平滿之部位，其標準就是好運的；但凡凹凸黑晦的，其標準就是失運的。十二宮的位置如下：

一：命宮，位於兩眉中間，亦名印堂，主官祿、壽命、病疾，女相另看丈夫得力與否。二：財帛宮，主財運之吉凶，健康的好壞，女相男論丈夫得力與否，其位置在面的中央，鼻也。三：兄弟宮，其位置在兩眉，主兄弟和睦多寡、智慧。四：田宅宮，其位置在眉與眼中間，主家運、聲望、田地、房產。五：男女宮，位於兩眼之下，又名臥蠶，主子女運，讀書運，子女的病疾、貴人等。六：奴僕宮，位於面頰的下端，法令之外，主下屬的力量，指揮力，貴人的得失。七：妻妾宮，位於兩眼末端，又名奸門，主夫妻運，愛情運。八：疾厄宮，鼻準與印堂的中央，又名年上壽上，主健康、病疾、父母運數。九：遷移宮，又名驛馬，在額角兩側上端，主旅行運。十：官祿宮，位於額的正中，主地位富貴。十一：福德宮，位於眉尾的上部，主福份運氣。十二：食祿宮，位置是口，又名水星，主是非得失，食福運、晚年衣食等。

電視紅陳家碧印堂明潤，鼻準有肉，可得良夫之相。

黎姿印堂平眉眼相配是福相

有人因妒忌而妄，有人因多疑而亂，有人因貪念而強求，有人因暴富而囂張，有人因不甘於人後而迷亂蒼生，有人因一時之慾念而失信於天下。

▲朱兆基與黎姿合攝

世人不明，人之心有不遂，皆因時機未至，人之心有不甘，皆因不明各有前因，時人不察，因果皆由己種，萬事皆怨蒼天，不言己過，蒼天可奈何乎？

俗語有云：「靜坐常思己過，閒談莫說人非。」有人是非當人情，損人不己，最終都是以悲劇收場。因一時之慾而製造痛苦人生，可謂活該。

佛家說：「人無相，佛無相，我無相，無眾生相。」眼前一切皆是虛幻，今日之有，未必明日可有；別人之有，未必自己可有；縱然可有，未必永遠可有。人能在世，已是蒼生有幸，人生在世，生生滅而滅，誰可改之？研究命運，旨在把握剎那人生，人能幸福，皆由慈悲而生，人之痛苦，皆由慈悲滅，人若執著和迷妄，縱不招災劫，快樂亦早已遠離。執著的人，眉頭緊促，印堂太窄，迷妄之人，眼露浮光，印堂太闊，非福之相也。

影視紅星黎姿，眉眼相配，印堂平正，有福之相也。

何家何派均應以利人為本

有人說，風水五行，各師各法，這當然真確，比如有十個人，同時拜一個高人學藝，他們的成績肯定不一樣的，有些有心人，因為內心的妒忌而產生怨懟與不安，因此強言師父偏心，妄生事端，諸如此事，屢見不鮮矣。

現今術數界頗有名堂的黃強師傅，筆者眼見幾個年紀相若的人，同拜於他之門下，但是，多年來所見，他們師兄弟的發展，真是同出一門，功夫各異，有的是特異功能，有的是鬼神靈測，有的是奇門遁甲，有的五行風水，在這裡應該說，同出一門，各有各法，當然，是真是假，日久便知，只有用正五行風水，助人為先，所謂先天為體，後天為用，以九宮飛星定吉凶，以八卦方位分貴賤，吉者順其自然，凶者移星換斗，五行定數，以無形之氣，改有形之質。真個是：「舉手摘星斗，偷天換日斗。」因此，風水改運之道，在乎福主的誠意和德行。若然逆天而行，助行惡之人避禍，亦天意難為也，於我者何功之有哉。

常言道，鼻尖之人，言而磨齒，不論其貌，定非善相。心正之人，貌正言嫻，心傲之人，貌岸言緊，心平之人，貌卓言順，心靜言嫻，心歪之人，貌縮言邪。因此，無論何家、何派、何術，俱以正道而行，利人利己為本，放諸四海，無可置疑也。

傅明憲天庭飽滿事業心強

偶遇一個朋友，由外地回來，觀其氣色，滿面赤紅，驛馬發暗。筆者曰：「汝此行不利，不是破財便會發病！」朋友答曰：「財是用多了點，這是意料中的事；可惜因外地的衛生問題，染了肝炎，這回手尾長矣！」一個人如果有機會遠行散心，這當然是件賞心樂事。俏若在外地遇到不快的事情，這種感受，實非筆墨能形容。

有人說：「他鄉遇故知，人生樂事；遇有不如意，大生大憾事！」

有些無知的人，但求己慾，不問是非，不分環境，不理別人感受，這些人的驛馬一定不廣。相經有云：「兩旁驛馬走西東，不是狀元亦是富翁！」

這說明了驛馬不單看人的遠行運，還主宰了人的智慧、進取心、分析力和對人生的態度。不過，驛馬過高的女姓則要留意，不是嫁出遠洋，便是婚姻有破。若然遲婚，則作別論矣！

相書有云：「上庭長，少年忙。」這與「驛馬騰空，遠走西東」同義。這又說明了一個上庭驛馬高廣的人，無論貧或富，都非常熱衷工作，對各種事物都有很強的追求慾。

影視紅星傅明憲，上庭飽滿，驛馬高揚，人不但美艷如花，對自己的事業更充滿熱誠和信心，這正是上庭廣潤的特徵。

▲ 傅明憲，朱兆基合攝

梁榮忠「蒜子鼻」心慈而多財

古人云：「人為財死，鳥為食亡。」

財之為物，并非萬靈；但凡行事，非財不可。因此，財在人的命運中佔了很重要的地位。很多人，因一時很財，不可一世，實非福之命也。人生在世，三衰六旺，生老病死，有誰可

▲梁榮忠蒜子鼻，仁慈之相

免？縱使家財千萬，一場病疾，虛耗多少，難以估計；還有盜賊禍害，交朋接友之損失，故有「益者三友，害者三友」之說。

在相學上言，兩顴欺鼻必無財；耳如紙薄，耗盡家財而離鄉；鼻圓露灶，易交損友；鼻如懸劍，必是損友；鼻見三曲，家財不足；鼻背骨起，中年破敗無財；鼻頭圓厚，為人正直仁義，財富中年發達。鼻如切藕，財源常有，宜做生意，可惜貴人短，凡事親力親為，此鼻相之人，只許成功，不許失敗，是個見利而堅毅不屈的人。

鼻如蒜子開邊，為人慈愛而財足，是個有中年福的人；如此之女相，更旺夫發達而得貴子，這正是有福之人。

無論男女，山根挺拔，上透印堂，下達準頭，都是夫妻難到老、財來財去都是空的相格。要改變如此之命運，實非難事，只要每天清早面向東方，深呼吸十次至二十次，然後用柔和之音量唸十次至二十次：「詩單多，波單那，雁嗎咪，吧迷吽。」久而久之，命運可改大半矣。

改變命運之法，在乎心中所有。有人身在寶山，卻如坐針氈，有人得志罵人，財多而語無倫次，徒將樂土化作苦海，如此之人，難得覺岸焉。

影視紅星梁榮忠乃蒜子鼻，為人心慈而多財之相也。

程可為坤巽皆起財運可得

坤宮（尾指的下端）在五行中主婦女、子女之運，尤其婦女看坤宮更要認真。因為坤宮主宰了婦女的健康、壽數、子女、丈夫。

一個婦女如果其坤宮飽滿有肉，其運數大致上是好的，即使是有劫數，亦會逢凶化吉。因此，

▲朱兆基與程可為論掌

坤宮對於女性是比男性重要的。倘若坤宮肉薄缺陷，男性易招桃花劫，常因桃花之事破財，女財難得，女人助力亦難，此格易損夫妻情義，如能避煙花之地，財運可保矣。

巽宮（食宮的下端）在五行中屬財帛宮，亦管文昌，如若肉薄平削，有財難守，財來財去。如若有缺，有損財運，縱然發達亦遲，亦有損文昌，縱然登科亦加倍勤奮，難得意外之財。一生與賭有緣，但橫財難得，如果能知命節儉，此劫則不生矣，若能置業，更可興家。

因此，命運之為物，向無定數，了解命運，一切皆由後天所改，此乃知命之哲理。

移居加拿大的影視紅星程可為，最近回港簽約無線電視，問運於筆者。

筆者論程小姐大利東南方，不利西北方，今次回香港發展，得天時、地利、人和，一定有一番作為，唯飲食小心可也。觀其掌，坤宮、巽宮皆起，加上明堂明潤，財運可得，論形可富，若能再往南走，運數必然更好，此亦命運之使然也。

陳小春少年得志須防桃花劫

佛家說：「隨緣。」

有道是：有緣千里能相會，無緣對面不相逢。人生如此，財運理應亦如此。

古之聖賢，傳頌千古，古之富人，難留美譽。終究是：暴富難保氣節，財迷心竅，有的更為富不仁，損人利己，為禍社會，屢見不鮮。財之為物，命中無財難強求，強求得財恐招禍；今人為求幸福，力求上進，只為平穩安定，能否富甲一方，亦隨緣矣。

人相學中看財運，多以鼻為財星論之。相書云：「鼻高隆主大貴，鼻肉圓滿主多財，高隆肉厚主有祿，準頭潤澤主即發，準頭黑暗主破財。鼻樑過高主孤寡，準頭無肉主貧寒；鼻高連山主破壽，鼻高無肉主多勞；鼻尖勾曲多財快貪，蘭廷肉翹財反覆，鼻如切藕多節儉，仰鼻露孔多無財，鼻陷顴高財難聚，鼻管圓厚福祿齊。」能否知道財運，此中可尋。

影視紅星陳小春，額平廣闊，少年得志，驛馬飛揚，貴人相助，惟六親之力弱矣。眉濃如潑墨，男人主奮鬥性強，惟小心水險為上。小春印堂明潤而光澤，主目前之運非常強盛，兩目有神，黑白分明，運數雖好，到眼運時小心防桃花之劫，煙花之地，避之則吉。準頭有肉，為人心善，蘭廷肉薄，恐怕財來財去。牙齊口大，有才華中仍防飲食之災也。

▲朱兆基與陳小春合攝於宴會上

閒事莫理眾地莫企可免災禍

論驛馬之法，喜廣闊、明潤、朝歸、光亮、乾淨，皆主遠方發財發貴。

有道是：「驛馬朝歸，非富則貴；驛馬廣闊，一生快樂；驛馬插鬢，一生勞碌；驛馬短破，固守田莊；驛馬紋侵，遠行受傷；驛馬黑氣，客死他方；驛馬青藍，出門染病。」

言之不盡，氣色貴乎淨也。

若然面有多色，縱然驛馬平淡亦會招劫，就如：嘴角青藍必招飲食之疾，忌烈酒、辛辣、粗硬之物，亦有水土不服之險。故見驛馬發暗必招此劫。

奸門見青黑之氣，必招桃花之劫；更逢驛馬見紅藍，則因桃花招破財受傷之險。

鼻頭見紅筋、青筋、黑氣、暗滯、灰塵、黑點，若逢驛馬滯色，若然出外，必招破財、破產、錢財官司、金錢糾紛等劫。故逢此有劫之氣色時，則避免借貸、擔保，重大投資，甚至投機等生意，可減輕破財之災矣。

如若耳門、印堂、準頭、人沖、天庭齊見黑氣，如此之色，如逢驛馬之色輕微阻滯，就已不利驛馬矣。是以，修心養性，飲食謹慎，言行小心，見水不近，閒事莫理，眾地莫企，則可避免災禍矣。凡此種種，俱以心靜而減禍也。

命運人生

從面相、手相、命理看透人生百態！

驛馬飽滿廣闊一生多貴人

今日之世，雖不至亂，然人之求生本能，已非前人一般固守家園。是以，今之人也，天南地北，視若等閒。無論社會怎樣變，但是人際關係卻歷久不變，正所謂，他鄉遇故知，人生一大樂事也。

▲葉威儀師傅：「各人自有各人福一切都隨緣矣。」

在命運學中，亦可言遠方貴人，正所謂：「人逢絕處貴人助，逢凶化吉矣！」

從相學上問遠方貴人之論，曰：「驛馬騰空，遠走西東。」

驛馬部位在額的高處兩端，亦即眉毛對上近鬢際之處，倘若驛馬飽滿有肉，遠行必定遇貴人，甚至他鄉發財立業。

如果驛馬位傾瀉者，出外遠行則徒勞無功矣。

如若驛馬發暗、發黑、灰沉、紋沖、青氣、藍光、破損、退皮、毛髮遮蓋等，都表示遠行多染病歸，如果嚴重者可能有客死異地之可能也。

故出門遠行之時，如遇上述之色者，多加留意和小心。甚至祈福出行，心安理得矣。

圖中立者葉威儀師傅，驛馬飽滿，四方有貴人。圖左的張經緯師傅驛馬廣闊，一生快樂。圖右作者，驛馬傾瀉，一生勞祿。

門牙落，心作惡　無緣笑，刀脫鞘

筆者有個弟子玄杰居士，研習五行術數多年，在香港時已掛牌替人指點迷津、解決疑難，成績亦相當理想。月前他要離開香港到其他國家大展鴻圖，臨行時他送給筆者一封大利是，這使筆者非常驚奇。因為在授術其間，筆者對他特別嚴厲；而且，起初他根本不相信五行術數。因為這種緣故，筆者曾費盡九牛二虎之力，希望能改變他的命運，這亦使他非常難受。為甚麼要這樣迫他呢？因為當時他的身上有三個幽靈附體，十多年來一直如此。他曾盡過很多努力，毫無改變，運程亦非常翳。經陸先生推薦，筆者替他解疑難，根據他命運五行，配合風水、氣功，然後點化他體內心魔，結果命運真的改變了。玄杰居士更成為筆者的弟子，濟世助人。

古語有云：「無功不受祿」，因為筆者已收受別人的學費，他所學得的任何功夫，都是他應該得到的。這是他的福份，亦是玄機。

玄杰臨別送禮給筆者，這才是真正的「送」，因為今日的社會，很多人都用禮品做魚餌，希望釣得大魚，這真是攻於心計。因此，任何一個人，在接受任何利益時，都應該仔細的去想想後果，這才是今日立足社會的金句。

攻於心計的相：「門牙落，心作惡；無緣笑，刀銳鞘；眼三角，計必毒。」

命運人生
從面相、手相、命理看透人生百態！

譚詠麟丘陸平滿一生貴人扶持

▲譚詠麟與筆者合照

古人對命運的看法有四大悲：「少年失父母，中年喪配偶，寒天撐夜渡，老年抬大鼓。」

既然研究命運，就應該知道，人生在世，三衰六旺，運途起伏，本屬平常；只要明白到做人問心無愧和能自強平息，任何惡劣的運程亦要勇於面對，悲從何來？當然，有時憑個人的力量是有限的，這真是無奈，但是命運中卻有貴人相扶，絕處逢生之說。

在相學上，丘陸、塚墓(眉中對上一指之位)兩個部位平滿、黃淨，無論運程如何之惡劣，一定有貴人相扶，逢凶化吉。在氣色歌中說：「一點黃光一點財，一點青藍一點災，唔怕滿面是塵埃，最怕戊己土不開。」但是，最重要還要看，丘陵、塚墓是否有陷或缺；如果有陷或缺，縱有黃光財亦小，得到大財亦會破，財來財去之相法，由此而觀之。

至於鼻為財星之說，乃用財之法、得財之法、看妻財之法，故此，如果鼻與兵陵、塚墓相配合才可作準。

說到貴人，命書中如是說：「甲戊庚牛羊，乙己鼠猴鄉，丙丁豬雞位，王癸兔蛇歲，六辛逢虎馬，此是貴人方。」如何解法，下回分解。

演藝界紅星譚詠麟丘陵、塚墓平滿，一生貴人扶持，故有「長春樹」之稱。

周華健深諳「相由心生」之理

　　命中論貴人，「甲戊庚牛羊」，其意為甲木命、戊土命、庚金命的人，在命中有丑未者為天乙貴人，亦是逢凶化吉，白手興家之命造；在人際關係上，遇上生肖屬牛、羊的人，就是貴人。

　　「乙己鼠猴鄉」，乃乙木命、己土命的人，在命中有子申者為天乙貴人；在人際關係上，遇上生肖屬鼠和猴的人，就是貴人。

　　「丙丁豬雞位」，乃丙火命、丁火命的人，其命造中有亥酉者為天乙貴人；在人際關係上，遇上生肖屬豬或雞的人，可能就是貴人。

　　「壬癸兔蛇歲」，乃壬水命、癸水命的人，在其命造中有巳卯為天乙貴人；在人際關係上，遇上生肖屬蛇或兔的人，就是貴人。

　　「六辛逢虎馬」，乃凡辛金命者，命造中有寅午為天乙貴人；在人際關係上，遇上生肖屬虎或馬的人，就是貴人。

　　這是命中先天所有的貴人，但是，如果遇上貴人受沖、受剋、受制、受洩等，都有可能由貴人變成小人，因此，論貴人亦要明白生剋制化之理。

▲周華健與筆者合照

　　古人云:「人生最大的貴人是自己，最大的小人亦是自己。」因此有「相由心生」之說，正如一個有才華的人，由於虛榮而自毀；一個有財富的人，由貪得無厭而變貪。是以，人能得到成果和幸福，絕非偶然和僥倖的。

　　紅歌星周華健深諳相由心生之理，故此時常保持笑容，令自己的運勢保持平穩。

斑斑眉順而直宜置業積財

有些人喜歡搞小圈子、小動作，朋友間談長說短，此種人，只因無能而心理作崇，亦因無才而自欺，因而猜忌、迷惘、惶恐！

做人為何要與人相比，自取不快，為何不力求進取，自得其樂，研究命運學，就是要明白進退之道和取捨之道。

命運學中有言：「敬老而增壽、常樂而得安、固執而路窮、心廣而得富、心正而得貴、勤奮而得祿、諒人而得福、孝而避禍、妒而招災、無信而折福。」命運之說，并非早有安排，先天所定，只是人生之始，後天所行，方為人生之路，莫信英雄莫問出處，落泊莫問因由，試問，世間上，那有沒有種可有果？佛家言：「因果」，就說明了英雄自有其本色，落泊定有根可尋。筆者言：「人生得意豈可盡歡，落泊之時豈可自棄。」古人說：「天生我才必有用，視時機而定，千金散盡還復來，（未來）看能否聚財，男人看鼻，女人看眉，男人鼻有肉財多，鼻露骨敗財，鼻尖貪財，鼻露孔耗財，鼻勾好勝而破財；女人眉順柔軟財多，眉彎而順聚財，眉粗而直無財，眉形如刀好勝而破財，眉濃而粗無運而失財，眉彎見粗而逆者耗財。

影視紅星斑斑眉順而直，人雖聰明財多，但卻財富難聚，能置業積財，功德無量矣。

晚境淒涼　無須問卜

有個朋友說他的一個下屬因喝醉酒而非禮同事的太太，這當然豈有此理，但事情卻發生了，當然難以正常的補救，對於這個借酒行兇的惡徒，留待他日後良心發現時才內疚吧！

古人云：「酒醉三分醒，」那豈容借醉而胡作非為，有的人酒後胡言亂語，借醉罵人，其實酒後吐真言，醉人之語，如刀鋒之利，句句入骨，此可得人諒乎？

正所謂：「酒無量，壽有數。」

眉為保壽宮，兩眉入印而酗酒，必定短壽，眉亦為兄弟宮，兩眉混濁而酗酒，必損兄弟朋友之情，眉主權令。刀眉之男酗酒，必遭下屬所傷，眉為財星，刀眉之女酗酒必定破財，眉為妻星，眉如劍之男酗酒有殺妻之機，眉近貴人之居，眉見逆毛者酗酒必見禍而無救，眉為河濯之守護神，眉亂之人酗酒，必見車水之災，眉如山林，奸門發暗，眉逆行者酗酒，必見桃花劫，酒無量，唯其性亂，酗酒之人，其行無章，運數多崎嶇迂迴曲折，貴人何有哉，縱然家財百萬，亂性運差，坐食山崩，福從何來，晚境淒涼，實無須問卜矣！

在中醫的立場上，酒乃穿腸之毒藥，尤其傷肝，至於心臟、氣管、膽、胃、肺，俱有損無益，酒之為物，實乃禍之根源也。

任達華鼻圓嘴正君子也

有個朋友與人合伙賭馬，贏了大錢；豈料那個持票人卻運本帶利一齊併吞，還說風涼話。朋友非常氣憤，但無可奈何，只有啞忍。

▲任達華人緣甚好之格也

這真是好事，正所謂：「塞翁失馬，焉知非福？」在命運學中，被人如此騙去了財，就等於連禍也給人帶走。

試問人要積福減禍，要付出多大的代價？如此機緣，有個甘願「折墮」的人肯帶走自己的災禍，豈不是美事哉？

筆者雖然年紀不算老，但是，在幾十年風雨中，卻見過不少人生醜態。只見借錢唔還的人衰運，未見過借錢給人方得還都唔出聲者唔好。這真是天數。

在相學上言，被人騙財的相格較厚，騙人錢財的相格較薄削。

敦厚的規格：臉圓、鼻頭圓、唇厚、嘴正，神氣嫻靜，眉毛柔而清順。

不過，敦厚的相與愚蠢的相格非常接近，其分辨在於眼神的強弱。薄削的相格，眉亂而逆，眼神恍惚，自大好誇，鼻尖準勾，唇飄齒落，耳後見腮，衝動易怒者是也。影視紅星任達華，鼻圓嘴正，神氣嫻靜，真君子也。

張堅庭眉清目秀創業之才

鬼神之說，自古已然。有者曰無中生有，有者曰心理作用，有者曰迷信惑眾，有智者曰：「信則有，不信則無。」

筆者曰：「人因命運的不同而定其信與不信。」

鬼與神的存在，相信純個人的感覺和感受，就有如一對夫妻一樣，床頭打架床尾和，個中的感受豈容外人道？人生存於天地之間，絕不能太固執、剛愎自用，少小時要相信父母，讀書時要相信老師和同學，踏出社會時要相信同伴和朋友，結婚之後要相信自己的伴侶，到老時要相信自己的兒女，一個組織的成立要相信群眾，成就大業的領導人要相信自己的下屬，想創基立業的人，要相信自己的上司，或比自己有經驗的人。

這就是順應天地者貴，多疑無福的道理，多疑的人，徒增自己的痛苦和阻礙自己的前程，更甚者會增加別人的煩惱和製造矛盾，此種人的相格大多是印堂見橫紋，懸針破印，眉頭緊蹙、嘴彎向下，鼻尖山根拔。在手相上，大多是掌形見骨多銳角，指肥掌瘦，智慧線過長而扭曲，或智慧線過短而見斷。若見星紋，魚形紋則不作此論，相格眉清目秀就化凶為吉，此乃相生之道也。名導演張堅庭，眉清目秀，顴鼻有肉，嘴角向上，乃成就大業之格。

▲張堅庭眉清目秀，才藝出眾

龍目藏神吉祥相　鳳目要威眾人妻

論相之法，總離不開五官、身形的配合，不過，命運好壞全在眼睛中分辨。

說到眼睛，人人都知道眼睛乃是靈魂之窗。從相學的角度上來看，眼睛表示了人的內心世界，無論忠奸善惡，擅相者亦從眼睛的神情中盡窺全豹。因此，做人

▲ 林玄珍論：羅家英雙目如炬，一生不愁柴與穀

莫以小惡而為之，若不然，則貽笑於大方矣。俗話常說，若要人不知，除非己莫為。

在相學上，眼睛更代表人命運的好壞，有道是：「只要目神足，不愁柴與穀。」我們中國以農立國，如果長年有柴有米，已是一種很大的滿足了。在這裡說明了眼神的重要，故此，研究命運學的人都明白到眼神對人一生命運的影響。除了眼神之外，眼的形態亦非常重要，如三角眼，人必奸；牛咁眼，人必懶；豬咁眼，有兩餐。這正是牛目多愁豬目富之說，神相篇有言：「龍目藏神吉祥相，虎目神歛將軍樣，獅目有威嫌多劫，羊目多險避水火，蛇目為賊修心性，豹目性急靜為安，象目仁愛廣結友，猴目精靈多計策，馬目帶煙逢鬼怪，雞目性急又貪威，鳳目要威眾人妻。」

不過，最重要者還必須配合五官的相配和影響，方可作準。

圖中所見羅家英先生目神足，不愁柴與穀。

天地之德　萬斛難求

兒見吾帶很多衣物鄉，問：「可有用乎？」

吾曰：「有，一作禮物，二可御寒。」

兒又問：「如此長途跋涉，對己可有益乎？」

吾曰：「有，一可得親情，二可得心安。」

兒又問：「可有報酬乎？」

吾曰：「有，情可生萬物，安心可免憂。」

兒又問：「有來而無往，可有禮乎？」

吾曰：「有，無憂乃天地之恩德，人能活得舒暢，萬斛珠寶難求，非禮乎？」

兒又問道：「誰可知曉？」

吾曰：「天地可知，日月可見，何所求哉！」

孩童之言，無忌也！

古人有云：「有德者，壽終正寢；無德者，痛不欲生。」

筆者見一人，凡事利己而行，損人不察，雖其財算富，然其格卑、其品劣、其言誇、其心私、其行亂，人皆怕之，真有談虎而慌恐，縱富亦窮焉，誰敢近之？如此之相，目有神而見兇光，牙長齒大而不齊，顴鼻相稱而準尖，眉髮清而見鬚（或無鬚），地閣方圓而肉枯，嘴角菱起而見斜，背厚有肉而步踵，指掌有肉而身搖。

有財無福、孤單無依之相，此中尋矣。

掌紋分析

從掌形、掌紋、掌背、掌心——
推斷推測吉凶禍福、貴賤夭壽。

掌背露筋骨，縱然富貴亦勞碌；掌背肉厚，女享清福，男可發福。掌粗節骨，早富晚貧；掌軟肉厚，定是清閒之人。掌軟無骨，多是無依無主之人，非壽之格。

盧敏儀掌現異路成功線

上文所述，筆者替夏韶聲看掌論相，站在一旁的盧敏儀見筆者所言非虛，而夏韶聲亦唯諾諾，她禁不住亦把手掌伸過來，只見她的掌紋柔若走絲，條理分明。於是，筆者斷言曰：「盧敏儀為人聰明絕頂，可惜膽小。」

▲盧敏儀異路成功線逢凶化吉

「既然聰明，就唔應該膽小呀！」曹達華打斷話柄。

盧敏儀望望曹達華，曰：「華叔，我真係膽小的！聰唔聰明，我就唔知！」

其實，在掌紋裡所顯示，凡掌紋有理而不亂者，一定聰明。而且有計劃，不亂花錢，尤其不喜歡賭博及冒險。

筆者很肯定的指出而且堅信，凡「異路成功線」呈於掌上的人，一定逢凶化吉，兼且貴人旺盛，不論男女，都可以白手興家。不過，有異路成功線的人，大多數都是不能依靠家庭相助而發達的，因為異路成功線的出現，就表示這個人已經歷過無數奮鬥，這只是一個人生運程裡的一個記號。

盧敏儀的手掌裡就有這樣的一條紋，因此，她的貴人吉星很旺盛，事業亦會保持不敗之局。由於盧敏儀的掌背肉不夠厚，因而很難言是否可以大富大貴，不過憑個人後天的努力和機智，福份是很好的。有人會問：「異路成功線在哪裡？」

喜歡研究掌紋的人都知道，成功線在掌的中央，由坎宮伸展至離宮，異路成功線則由坎宮或中央向坤宮伸展。

湯鎮宗棄商從影需走艱辛曲折路

　　手掌中的坎宮，位於手掌的中線最下端，在八卦方位的五行屬水，如果坎宮位置下陷，雜紋亂加上橫紋交叉，那麼這個人一定有機會遭遇水險；如果坎宮的位置下陷而紋少，此人不得祖業，健康亦有問題，尤其是腸胃之疾，更難避免；坎宮高起者，為人一定機智聰明，做事果斷而且有貴人相扶，白手興家；坎宮豐滿而明淨者，此人必得祖業，自身命運亦吉；坎宮高起而見骨，此人貧而奔波，但是，自身病疾卻很多，而且恢復體力很快，最適宜參加運動比賽，一般武術家都有此優點；如果坎宮位置平斜而使手腕掌心的明堂位相連者，此人必定敗祖業後窮困；坎宮未有凸痣者，主形剋子女。

　　其實，坎宮在手相中所主的一切，始終是以智慧及意志力為主。古語有云：「富貴不能淫，貧賤不能移，威武不能屈，此之謂大丈夫也！」

　　多年前，替武打演員湯鎮宗看掌，其掌中坎宮非常豐滿，本應可得祖業，但是他卻偏喜歡演戲，放棄了原有一份很好的職業。雖然，如今湯鎮宗發展也很好，但一個人如果與命運背道而馳，始終也是要走一段較為艱辛的曲路，這就是命運。

掌中艮宮坎宮凹缺難補救

從掌中的八卦方位論命運，有時會聽到一句似乎莫名其妙的術語：「山崩水破，一世清貧。」到底此語的根由何來呢？其意又是什麼呢？

想知道「山崩水破」的來由，首先要知道八卦方位的所屬；相信任何一個研究五術的人都一定知道，乾為天，主頭、父；坎為水，屬中男，主腎；艮為山，屬少男，主脾；震為雷，屬長男，主肝；巽為風，屬長女，主膽；離為火，屬中女，主心與眼目；坤為地，屬母，主胃；兌為澤，屬少女，主肺。

既然知道了八卦所屬，而「山崩水破」之意就是指在手掌中艮宮（為山）與坎宮（為水）兩個位置同樣凹缺，具有此掌相的人，縱然其掌紋如何的好，亦難以補救「山崩水破」的缺點。當然，手掌中的玉柱紋真是由坎宮直透離宮而中間亦沒有橫紋破壞的話，相信亦可補救很多；但是，由於「山崩水破」之敗，一生命運反覆卻難避免，除非一世避賭，那又作別論矣。因為，犯有「山崩水破」之手掌者，男人好賭而揮霍，女人好賭而失夫，此亦算「一賭足以敗江山」，因為具此手相者，絕無半點機會可得意外之財，這亦是命中註定，不得強求也。

年前，筆者替吳寧看掌相，斷曰：「此掌山水有情，必得奇財。」後來果然應驗。

尾指過三關　越老越清閒

論掌之法，首重掌形。掌形肥厚，主富貴安樂；掌形乾枯，主勞碌奔波；掌形扭曲，主貧窮無財；掌形露骨見角，主橫蠻；掌形見筋肉浮，主夫妻緣薄；掌形無骨軟弱，主意志飄浮；掌形清秀，主文章出眾；掌形粗大，主勞碌得財；掌大指短，主愚魯而財稀；掌形方而指長，主聰明而安逸；掌大而指粗見節，主因貧而無財。掌形之論法，亦視乎相配，難於言盡。

古語有云：「尾指過三關，越老越清閒，只許龍吞虎，莫教虎吞龍。」何解？

尾指過三關者，就是尾指的指尖長及無名指的第三節指紋者是也。其意所示，此指相者兒女到老近身，或者得力，財富亦無須憂愁。不過，尾指過三關的人卻並不很多。

所謂「龍吞虎」者，就是手指的長度（中指計）比手掌的橫度長是也。具此指相者，主一生貴人重逢，逢凶化吉，在事業方面亦較為順利和安逸；不過，其缺點卻依賴性重，遇到困難時會畏首畏尾，對於成就有影響的。

「虎吞龍」者就是手掌的橫度比手指（中指計）的長度較長，具此掌相者，主其一生都以勞力得財，此相是真正的正財格，亦是白手興家的象徵，其優點是勇往直前，不畏艱辛；其缺點是久缺計劃性，或者容易受騙。因此，與人合作和借貸則格外小心，尤其是賭博及橫財夢，避之則吉矣！

泰迪羅賓乾宮飽滿可得祖蔭

以掌論八卦宮位，很多人以為乾宮不重要，其實，乾宮在掌相中所佔的地位，比起其他宮位更重要。

乾宮所代表的祖先運，其所指祖先是否有福蔭，亦代表貴人運：對於自己的命運，

▲朱兆基三十年前替泰迪羅賓論掌後攝

則代表了精力是否旺盛，活動力、腦力，在部位上是代表了人的頭部，亦力量的表達。故此，乾宮的好壞，是直接影響到人的命運。

乾宮缺（尾指之下，掌的最右下角），與父母無緣，精神容易疲勞，難承祖業，久居祖屋，遠走他鄉方可發貴，固守田園方可發富，子女都以過契為吉，夫妻情緣較薄。

具此掌相的人，大多是脾氣較差，若凡事都能忍讓，則可大事化小矣。

艮宮，在乾宮的另一端（母指的最下角）；艮宮若缺，兄弟無緣，貴人助力小；助人成功易，功勞過別家，屬獨力持家，白手興家之格。

具此格者宜置業積穀，方可置富，忌貪橫財，擔保借貸亦必須謹慎，防被小心所利用也。

凡論八卦宮位，以肉起紅潤為吉，凹陷枯乾為凶，方論進退，君子之道也。

吉凶，有先天後天之別。先天者，上述所言也；後天者，四時之識別者也。總之都是：一點黃光一點財，一點青藍一點災，紫氣縱橫明堂潤，一朝富貴未為奇。

影視紅星泰迪羅賓乾宮飽滿，可得祖蔭之格也。

乾宮枯乾早戒色

以前曾提到掌中有：「乾、坎、艮、震、巽、離、坤、兌」，此是代表了八卦宮位，八卦宮位的每部位都代表了人生的各種不同的意義。

例如：乾宮的位置居於掌的近手腕處，男掌是掌下右方，女掌是掌左下方。乾宮五行屬金，八卦以乾為首，主人的腦袋是否發達；如果乾宮的位置豐滿，那麼這人一定頭腦發達，富思考力、聰明而發應敏捷；相反，乾宮的位置凹陷，這個人就是反應較慢而且固執，甚至懶散。

如果乾宮有橫紋衝破，那就主其父親的壽命並不太長；相反，乾宮無紋衝破，就表示父親的壽命較長而且可得父親的產業。如果乾宮見有黑痣，那就代表刑剋長子及父親，而且自身多病，命途亦較為奔波勞碌、遠走他方。倘若乾宮內起而見黑痣者，則長子不孝，乾宮乾枯則主自己本身壽命不太長，精力容易消耗而很難回復，尤其是男性，更容易產生未老先衰的現象。

不過，這完全是先天所註定的自然現象，無論如何，後天是絕對可以改變和避免的。這就是術數家所言之「趨吉避凶」之法。這種方法，人人都可以做得到，例如，長子不得力、不孝順，那麼自己在年輕力壯時要積穀防飢，或者悉心引導兒子明白世途的道理。如果乾宮枯的，那就及早戒色補食及勤煉氣功，那不是改變了命運嗎？

震巽傾瀉常因財失義

古語有云：「升官就發財！」相命家言：「五行不配，財重身弱。」

筆者斷曰：「人因升官而亂，發財無價；人因不義而多財，身強亦遭天劫！」

其實，財與官，在人類社會裡，人人都有所冀求；但是，如若過大的冀求，卻使得多人失望。在今日的社會裡，身邊無財，寸步難移；因此，人望發財，只因日常所需，只要不是過分強求，那就是人之常情了。在風水家言：「摧官在離，摧財在巽！」

這只是一本通書讀到老的老生常談故事。正所謂：「風水輪流轉。」財與官的方位亦隨太歲的不同，宅的坐向不同而在不斷變動的。真正的風水師是要分陰陽，定零正。只要陰陽明，零正的，財位官位見分明，摧財摧官，各家各法，伏虎財神是傳統化煞生財法寶，擅用者大吉大利也！手掌中的離宮（在中指下端），亦是代表官祿宮，只要是飽滿如丘，祿位常臨；紅潤而滿，貴人常臨；坑陷見紋沖，是非不絕；晦暗見黑，官非牢獄之災；平如硬板，固執失貴；平見紋沖，亦招是非；五行有助，可保官位；若然三宮齊陷，財官俱無，若然離宮滿而紅潤或平而紅潤，可得聲名；如果離宮起而見井字紋，可管財庫，忠信而得貴。不過，無論掌中的離宮如何，倘若震宮、巽宮傾瀉，此人必時常因財失義，甚至官非，不可不避也。

李菁坤宮較弱健康不理想

手相學裡的坤宮，位於尾指的下端，代表了母親的健康，子女的多寡、得力與否，更代表了自己的健康，尤其是脾胃。在命運裡，亦代表了祖山的福蔭，本身的權力，財運得失，晚年的運氣等。

在理論上，坤宮位於尾指的下端，亦是掌緣的上角，這個位置，屬手掌中的「關欄」，正所謂：「掌無關欄，月宿風餐！」

「關欄」二字，在術數家而言，是非常重要的，古人相山：「有地無地，先看下臂，有山無山，先看下關。」這說明了關欄的重要性。

前幾年，由朋友推薦李菁小姐到筆者的相命館看命運，只見李菁的掌，圓滑而挺秀，肉軟而紋清，如此看來，李菁於娛樂事業發展頗為順利。因為此類掌相，貴人甚好；不過，以命運論之，如果做一個平常的婦人，會比浮沉於五光十色的娛樂圈有福。因為，此掌的坤宮較弱，缺乏奮鬥心，兼且自身健康不理想，不利於娛樂圈硬飯、凍菜的月宿風餐生涯。

當時，筆者也對李菁忠告，最好帶埋「私家飯盒」拍戲，可免腸胃之疾。結果，事隔不久，見報謂李菁因腸胃不適而進了醫院，真個是「寧可信其有，不可信其無」，此語非虛。

▲李菁生命線多島紋，小心腸胃之疾

手掌有橫斜紋穿破小心桃花破財

手掌中的震宮，位於拇指與食指的中間，主長男之力。當然，飽滿豐盛者，長男得力；相反凹缺下陷者，就代表長男不得力，而且懶惰；如果是平滿的話，那就已經很好的了。因為，震宮平滿，長男得力與否，也一樣孝順父母。因此，震宮能夠平滿，相信很人也心滿意足了。

在性格方面，如果震宮位置見坑下的話，這個人一定執着而無能，如果見到橫紋衝破，那就很有可能遇到意外而殘疾。因此，犯有上述之缺者，筆者一定忠告他，凡水邊垂釣、划艇、游泳、危險之地、爬山、劇烈運動，一律避之則吉。如果見到青氣或青筋橫跨震宮者，就更要小心，甚至遠行出外、陰地夜行也要避開。

俗語說得好：「有便宜唔好使頸。」既然知道命運，亦不用甚麼付出，那就可避則避矣。當然，有一種人，明知山有虎，偏向山中行，倘若「好嘅唔靈醜嘅靈」，那就可能遺憾終生了。倘若，震宮通紅而豐滿，就表示這人會很快有田地之兆，即使不能置田賣地，則運亦會非常暢順。不過，在這種情形下發現斜紋、橫紋穿破，男女都桃花不利，女人更會女奪夫威，很容易招殺身之禍。故此，無論男女，發現震宮通紅而又有橫斜之紋穿破時，就必須格外小心，防桃花破財，避之則吉矣！

巽宮飽滿紅潤擅理財

巽宮，位於食指的下端，為財帛宮。一般人論掌都以巽宮為主，因為，在命運學中，財與妻是排第一位的，因此，巽宮在掌相中佔了很重要的地位。

那是否巽宮好就甚麼也不幹就財源廣進呢？這是沒有可能的，只不過在手掌中，巽宮位置如果飽滿紅潤的話，表示這個人擅於理財，富奮鬥性，而且對於計數和數學是特別精明的；至於是否會有橫財，那就因時際遇了。倘若巽官位置晦暗，莫講橫財，不破大財已是萬幸了。如果巽宮下陷，表示此人一生營役得財，更不擅理財，倘若與人合作做生意，不是被人騙財就是犯官非，這就是時也命也。或者有人問，那麼如何扭轉命運呢？

筆者斷曰：「莫貪橫財事，合作也不宜，若望財富有，積儉是奇逢。」

又有人問：「用戒指擋住財帛宮的位置是否可以發財？」

如果用戒指改變財運，有分金、銀、玉、石、滕等，那就因人而異，到底能改變幾多？

那又因人而異。因為每個人的命運有所不同，其五行所屬亦有所不同，故此，不能一概而論。

相經有云：「若問橫財事，巽宮紅且潤；若問此人貪，巽宮陷而糠；若人此人富，巽宮起見井。」這就是巽宮管財之訣。

掌厚有肉　富貴多福

論掌之法，中西同論，掌有秀氣重於文秀，指長掌長有肉、無筋露、無骨露為秀氣；掌形見方者利於技術、工藝，指齊掌厚、無露筋、骨有肉包者為方；手如櫃者利於勞工、勞力之工作，指短肉粗、指掌難辯者也。

▲朱兆基與湯偉倫論掌時攝

掌以軟為福，以肉厚為富，以長厚為貴，以靈筋為賤，以露骨齊露為苦，以肉粗指短為愚，以瘦長為文昌，以彎曲短薄為貧，以薄削露骨為窮，以軟若無骨安逸，以掌厚有肉見方為武將，以五指扭曲為貧賤。掌的心中的為明堂，掌的四面為堤圍，堤圍高起，非富則貴。明堂深下，為發富之格，家財萬貫不奇。堤圍崩缺不聚財，坎宮缺（掌最下端）祖上家財千萬，與己無緣，白手興家則可。離宮缺（中指之下、掌心上端）貴人無緣，容易得失貴人，性格較為怪僻。一意孤行之人，但奮鬥心強，創業需加倍努力，方可成功，成功發財之後切忌冒險擔保之類，否則前功可能盡廢，若然好賭更不翻身，不可不防之。

某慈善機構副主席湯偉倫，掌厚有肉，堤圍緊密，明堂深下，掌紋清晰，實非富則貴之掌也。

陳卓明兌宮滿利醫術發展

手掌中兌宮，位於尾指下的掌緣，屬西方，利於口舌、言語、醫生、女人，以及第八藝術。是以，但凡一旦出名的演員、醫護人員、律師、術數家、演說家、記者，甚至作家，其掌中的兌

▲中醫師陳卓明教授與作者等合攝

宮都應該高起或者厚肉；尤其是在一九八四年至二零零三年這二十年間七運中的女性，再加上其手掌中的兌宮肉厚紅潤，其成功的機會比男性高，這是天運七數與男女平不平等無關，即使八運，女性的地位亦仍然一樣好的。

兌宮的肉厚故然好，即使是平滿亦不弱，尤其是直覺性方面是比較強的；缺點就是心直口快，易失言，為人坦率，難收藏秘密，不利商界發展，如果在設計或創作性的事業上發展，就與別不同了。

倘若兌官是凹陷或破缺者，此人則充滿好奇和幻想，甚至容易心跳，因而影響言語的結構，容易招惹是非和遭人誤會，這是對命運有很大影響的。

筆者認識陳卓明醫師十多年，其掌中的兌宮非常飽滿，故此利於醫術方面的發展，更得到馬來西亞國父東姑拉曼的嘉許和讚賞，由此而知他醫術的高明。

蘇志威二者兼得　掌見「三奇」

「草蜢」蘇志威問掌相，悉命運的吉凶——真君子之道也。俗語云：「居安思危，真君子也！」

論掌之法，先論骨肉，次而形態，然後論掌紋。蘇志威掌肉厚，主積財成富；骨格清，主聲名遠播；掌中離宮、坤宮、巽宮三位肉起，名曰：「三奇，相經有云：掌中有三奇，腰纏萬貫錢。」蘇志威能得名利雙收，掌中三奇，實理所當然也。

說到掌紋，蘇志威右手川字掌紋，右手斷掌。以經驗所得，通常有川字掌紋就沒有斷掌，因為兩個極端的掌紋，是很少會出現於同一個人的。

據掌紋學所記，川字掌紋屬驛馬紋，一生奔波，四處走動。其好處是四方有貴人；其壞處是堅持力弱，只宜創業，不利守業。斷掌有男女之別，男人斷掌，黃金萬兩；女人斷掌，多守空房。但如今社會，夫妻各自創業，天各一方亦代表空房之論，夫妻聚少離多亦作空房論。因此，同一斷掌，男女之別實在很大也。

但是，在性格上，無論男女，具有斷掌紋或川字掌紋，都同樣較為固執和一意孤行。如此性格，亦有好壞之別。好的一面就是決定做的事一定可以做好，守諾言；壞的一面就是執著和疏忽。蘇志威的掌肉見三奇，相信輔助力是非常大的。

▲蘇志威掌見「三奇峰」，一世唔使窮

相有南北之分　掌無南北之別

很多研究命運的人都知道，南人與北人有不同的相法，這是由於地理、環境、山川氣脈的影響所至。

相書有云：「南人相天，北人相地。」所謂天，就是面相學裡的天庭，由印堂眉間至天中髮際，包括邊城、驛馬、學堂、兵陵、寵墓、官祿、福德、父母、司空、中正等。而地則為地閣，包括倉庫、頌堂、仙庫、奴僕、鵝鴨、波池、金縷、食倉、祿倉、法令、丞漿等。

不過，無論怎說，從相法的角度着，「南人相天」是應於南方火，此之謂呼應：「北人相地」是應於北方水，此亦是呼應。

正所謂：「得其手，應其心，生其相，應其地，生其氣，承其天，受其身，得其用。」

天地人三者相配，為天地一氣格，完人也！

筆者與研究命運、風水、醫術四十多年的朱鶴亭老師相聚，論及南人北相、失其地利說法，朱老師曰：「量其身，應其職，量其病，用其藥；應於天時，得之地利，機不可失也！」朱老師之言，言之有物，實學者之風也。

筆者曰：「相有南北之分，掌無南北之別，朱老師之感情線一定深而長，此乃性情中人的掌紋也。」

一看之下，果真如此，坐在一起的梁挺曰：「玄妙！」

吳寧掌紋有劫數影響不大

有個朋友非常心急的找筆者，說有人告訴他，小心將會有急病及意外受傷之險，理由是他的生命線中段斷了。這地方在流年運盤是三十六。

理論上言，生命線見斷，是有大病或有危險的；但是，如果在生命線的左右有多一條輔助線的話，則作別論矣。

▲朱兆基和吳寧合攝

倘若所斷的生命線週圍沒有輔助線，也并非沒救，只要掌中的事業線是直上而粗壯，此劫逢凶化吉。

在相面相學上，眼頭的部位是三十五、三十六的流年，如果此部位生得平滿不陷，掌中生命線雖斷，亦不會見很大的劫。

因為，掌紋是常變的，是要配合其他紋和面相的得失方可作準。

當然，掌與相為外相，八字命理為內相，正所謂：「紋好不如掌好，掌好不如相好，相好不如命好，命好不如流年好，流年好不如風水好，風水好不如心腸好。」這真是造化！多年前，影視紅星吳寧小姐亦有同樣的問題，生命線中段不好，但是她掌如棉軟，指如春筍，相的中庭和下庭平和飽滿；因此，她掌線中的劫數，對她的健康并沒有多大的影響，不過快車、水險仍然是要小心的。

夏雨掌厚多肉　惜坎宮有缺

很多人都問：「論掌之法，掌紋與掌形誰更重要？」其實，掌紋時常都隨人生過程不同的轉變而改變，掌形卻永遠不變。因為掌紋以肉為主，掌形以骨為主；因此，掌紋常變，掌形不變。是以掌紋論運、掌形論格。

相書有言：「骨肉不配，縱然富貴終作貧；掌背露筋，縱然富貴亦勞碌；掌背露筋骨，女難享夫福，男則為勞役；掌背肉厚，女享清福，男可發富；掌形不見角，男是文章士，女為旺夫之妻；掌粗節骨，早富晚貧；掌軟肉厚，定是清閒之人，可惜難言天年；掌軟無骨，多是無依無主之人，非壽之格；木形之掌手指長，多是設計創造之材；指掌不相配，縱使多財定必有失。」

相經又云：「論掌之法，只許龍吞虎，莫教虎吞龍（指為龍，掌為虎），掌紋清晰，為人忠直而專一；掌紋繁雜，為人多疑而聰穎；掌肉乾枯，中年方可立業，定是少年勞碌。」掌的中央為明堂，明堂載水，富甲一方；明堂色潤，大財將至，貴人臨門；若然紅赤，將見血光破財；若見青藍，病疾難免；若見黑氣，小人重重；明堂見痣，定是大富大貴之人；掌若傾斜，家無隔宿之糧也。

著名演員夏雨，掌厚肉多，必定多財，手指圓直，為人忠直。明顯見到，坎宮有缺，縱他日富甲一方，亦是白手興家之格矣。

▲夏雨掌形清秀，才藝出眾

創造命運

落地哭三聲，好醜命生成——

命運是否不可逆轉？

人是否一生都受風水支配？透過行善積德、修練氣功、心態積極，仍可自主命運，創造美滿人生！

財富有如潮起落　自身健康更重要

名導演李釗約筆者看氣色、問前程。

觀其色，破財難免，這是定數；再觀準頭見亮，隱透印堂，此乃逢凶化吉之象，貴人相助，由大化小，這是福份。觀其龍宮色晦，知其心如鹿撞，徹夜難安。

筆者曰：「財富之道，有如潮起潮落，自身健康首重矣！」

李導演領略此意，放下心頭大石。

中國人，祈求自身平安，方法多不勝數，如食療、氣功、聚會、暢談、唸經、唱歌、跳舞、求神請安等。

說到求神請安，中國人利用觀音誕、大聖爺誕、天后誕、金花娘娘誕、黃大仙誕、關帝誕等良辰吉日，結伴善信，大鑼大鼓，舞龍舞獅，浩蕩非常，但求興高采烈，驅走惡魔，同時亦有趨旺、趨吉、趨財之意。

關聖帝君，在中國人心目中是武財神，很多人在慶祝關帝誕之餘，更祈求財運亨通。劉標國術會在關帝誕之吉日，特邀請筆者現場為聖物開光點睛，祈求聖物靈氣提升，使得到聖物的人從心所欲。席間更有各大派名家，如劉遠成、李錦榮、陳少鵬、關海山、李汝大、蔣世昌、黃強、鍾應堂、梁守華、謝富坤、玄英子、林玄珍等出席，場面甚熱鬧。

▲朱兆基為醒獅點睛時情形，旁為七星螳螂李錦榮師傅

心善積福　命運可改

很多人都問改變命運之法，筆者曰：「心善得其法，五術行其法，命運可改矣。」

學生問：「食齋可否改變命運？」

筆者曰：「可以，血氣強盛的人改其好勇衝動，皮膚熱毒的人改其腸胃習慣。」

去其好勇衝動，不至招禍，更得貴人；改其腸胃習慣，使人身體健康，不亦樂乎。

世紀末人心態，有的拜佛食齋，其目的只想告訴別人，自己是向善的人，君不見有的人，一面食齋，一面罵人？善與不善，乃心中所想，言中所行，視個人之修為矣，食齋不能使人心善，不過，拜佛食齋的人，多有向善之心。

有的人以為，拜佛食齋可以洗掉滿身罪過，如此輕易，佛法無道矣。佛的法力，是以無窮的容忍，無量的耐性，啟發人的智慧，導人向善，並不能替人洗脫罪惡。

研究命運，先知其心性，就如：未言眼笑主桃花淫邪，三角眼人心必狠毒，咀合緊閉的人，其性情頑固；眉直如劍，其人必自私執著；鼻尖如啄，其人必精打細算而佔人利益；眼神閃爍，舉步搖身的人，妄為無能而自誇。如此之人，食齋可改其心乎？

吳剛為賑災籌款浸身臭水缸

人生於世，難免有不幸的事情，正所謂：「三衰六旺，人生常見，何怪之有哉！」

多數人的命運，先苦後甜；少數人的命運，先甜後苦。先苦後甜的人，由低下開始，不斷進行艱苦的奮鬥，在逆境掙扎，漸漸由逆境轉為順境，甚至由貧窮變成富有，這是先苦後甜。先甜後苦的人，可能由於病疾、戰爭、天災，或者自己不珍惜擁有之幸福，例如好賭、吸毒、嫖娼好淫等等形成，無論上述之種種，可以用人的力量、意志力去克服；但是，天災如何能避呢？

在世界各地都時有天災，如火山爆發、大風災、大水災、大旱災，甚至山林大火等，都是人力所難以控制，因此無可奈何。

▲ 吳剛善有善報，(中)作者，(右)林建明小姐

當然，災禍固然可怕，但是，災禍過後的重建家園及救濟問題更為重要；因此，很多善心人都發起齊心合力，籌款救濟災民，這是人類互助互愛的偉大精神。

以前無線電視曾發起為華南水災災民籌款，善長人翁出錢，藝員歌星出錢亦出力，場面非常感人，此中，吳剛更親身浸在有青蛙死魚的臭水缸中，感受災民的淒苦心情，博得很多善長的同情，無論籌得款項多少，吳剛的精神力量是比任何都重要的。

天機不可洩　術數非必然

　　有人問：「天機是否不可洩？」有人問：「洩天機是否減壽折福？」我問他們：「何謂天機？」天機，大意是把未來的吉凶，提前道破，把將會成為事實的吉凶現象改變，正所謂：「知過去，凡夫而矣，知未來，方為高人。能改變命運，神乎其技矣！」所謂「技」，亦即五行術數中的「術」也，其所用的方式就是「法」，這就是「法術」。

　　是否一個有「法術」的術數家真的可以把很多事實改變呢？這是未必的。因為，江山易改，品格難移，有時，有術的高人，在施法術時，仍必需要配合不同人物的個性與心態，若不然，更高的法術，亦難以改變即將發生的不利現象。因為接受施法者不接受現實，更甚者有倒行逆施的反叛心態，當然，有道行的術數家，對於這類人，通常不會強其所難，只好對這種人作一定的忠告，這樣做相信已是無量的功德矣。我記得很清楚，一九八八年的平安夜，香港羽毛球總會會長湯恩佳先生，邀請筆者夫婦與他一班好朋友，於海城夜總會聽甄妮唱歌。席間有位魏先生，他透露自己有三千多萬身家，我看看他的樣子，笑著問他是否相信風水？他答我他甚麼也不信，只信自己。大約九個月後的某天，湯恩佳先生約筆者到太湖吃晚飯，席間見到魏先生，這時候，他已是一無所有了。這就是天機！

▲朱兆基與億萬富豪湯恩佳會長攝於石澳大宅

心態與行為須平衡

▲ 曾志偉行善積福，真君子知命也

有一天，我介紹一個導演和我的一個朋友認識。他計上心頭，想拍一部關於五行風水的電影，且非常有「誠意」的請我做主持，唯一的條件他是我的「永遠經理人」，長期抽佣。

我不期然想起讀書時一參考書的其中幾句：「世上甚麼聲音最驚心，奴隸主的槍聲；世上甚麼聲音最可怕，奴隸痛苦的呻吟！」如果我真的答應了這個人的條件，那豈不是做了「永遠的奴隸」？

古語有云：「不自由毋寧死！」在這個民主自由的時代裡，人性的尊嚴何存？我的這個朋友，企圖運用幾個銅臭，心存妄念，騎在別人頭上，真不知天高地厚，亦不知時也、命也！

在命運的學說裡，最重要論五行的運行，陰陽的相配，心態與行為的平衡，六親的相輔相承，正所謂：「有情總比無情好，五行以平和為貴！」

我的這個朋友當然不知此中道理，因為，其人相格骨肉不調，行搖語雀，多言無章，嘴斜鼻尖，言而咬齒，自言強笑。如此相格的人，「只許州官放火，不許百姓點燈」，多謀多計，可惜心毒而六親不認，眼中只有利益，別無他想。藝壇大哥曾志偉深知人世間的心態平衡之理，是故，他利用多餘的精神、力量與財富，多做公益，造福社會。

盧海鵬相格利留港發展

近幾年來，很多人問移民。有的人我是贊成他們移民的，有的人我卻反對他們移民的，為什麼呢？這就是各人有各人不同的命運。例如：有些人，在他們的命裡其實喜火的，他們偏向北行，這就與其命裡所喜背道而馳。當然，有些人的命裡一片火海，不利於南方火鄉，那當然向北行走就較為有利了！

說到移民，我有一位姓葉朋友，他在一九九零移民新西蘭。在稿移民手續時，他把半山一間一千三百呎的豪華住宅和位於銅鑼灣洛克道的一間地舖賣掉，然後舉家移民。在當時，我曾勸告他，即使要走，亦毋須如此急速，因為香港的地運還有幾十年。但是，他一意孤行，以二百萬賣掉半山豪宅，以二百多萬元賣掉洛克道地舖。幾年後的今天，他回來香港探問，可否繼續在此地發展。於是，我問他，拿著近五百萬到新西蘭，如今還剩多少？只見他只在嘆氣。今日他的半山豪宅市值差不多二千萬元，洛克道的地舖市值近三千五百萬元。如此算

▲盧海鵬相格寒不利西北發展

來，葉先生即使到今日仍然保存他帶過去新西蘭的五百萬，相對之下，他亦損失了近五千萬。這個故事說明了，葉先生並不利於移民，他恐懼「九七」，未到「九七」他已損兵折將了。這就是命運中的福份了，佛家說：「造化」。幾年前，影視紅星盧海鵬本亦有意移民，我對他說：「由於你的相格略帶陰寒，利於香港發展」。如今，他的事業仍然保持著昔日的光輝，可喜之象也。

記多年前導演黃樹棠一樁舊事

與《花街神女》的監製袁善根共敍，談論起該片的導演黃樹棠。

黃樹棠是武打演員出身，及後當武術指導，筆者與他認識已十多年了。想起有一次，筆者正與金童、葉

▲黃樹棠相信命運

玉卿、朱慧姍等研究五行氣色，他也在一旁；當時他對於命相之道並不太相信，但及後，卻覺得我所說的五行道理有根有據，他不忍住問：「朱師傅，依你看，我現在的氣色如何？」

我打量了一下，說：「黃兄運正旺，可惜驛馬不利，貴人雖好，適宜留於本地發展，暫時還算上策。」因為當時黃樹棠紅光滿臉，可惜驛馬發暗。如此相法氣色，必須留守故地，驛馬出外，小則染病、大則血光，其他劫數則視乎走向何方最後定奪。

黃樹棠急不及待問：「我有一部片約，需要前往馬來西亞，該怎麼辦？」

我只好對他說：「行不得！」

後來得知，黃樹棠真的推掉了該片約，武術指導之職由小麒麟補上；更可惜的是，小麒麟在該部片拍攝期間，在一次車禍中死去，真嘆一聲世事無常，真個是「有幸有不幸」矣！

積善之家　必有餘慶

常言道：「積善之家，必有餘慶。」研究五行命運的人，多會勸人行善，以積福德。

俗世中的人有這樣說：「殺人放火金腰帶，修橋造路冇屍骸。」這應該是憤世嫉俗之話而已。其實，生存於這個世界上的每一個人，都應該知道一個真理：「善有善報，惡有惡報，若然未報，時辰未到！」若果不然，社會中如此多的作惡之人，都可以逃之夭夭了，但事實上，他們始終都是法網難逃，受到應得的制裁。說到行善之道，我有個姓李的學生如是說：「有機心行善者，視為小善，無機心行善者，視為大善。」

其實，為人不惡就是善。

此中，一個修行很久的學生，人稱佛爺的說：「百善不如一恕，量大者方可恕人！」正所謂：「福大量大，量大者方可恕人，其善有加，福薄量窄，量窄者不會恕人，其惡可見。」佛爺的話亦很有道理。筆者少時拜於佛家拳名師杜漢璋門下，直至杜師父圓寂歸於極樂。還記得很清楚，杜師父時常掛於嘴邊的話：「以責人之心責己，以恕己之心恕人！」杜師所說的才是真正的人生大道理。

試問這世間上，有誰不恕自己的，亦有誰不會責備別人的，那真是「善哉！善哉！」

利智借牡丹催財貴

▲朱兆基當年與利智擺風水時情形

說到風水之法，從古至今，無論帝皇將相，無不隆重其事，就算中國近代很多偉人，在表面上強調破除迷信，實質上在其私下仍然是很重視風水的。

據說，以前的帝皇，每屆科舉，名列前茅者，都旨令國師替他們修葺祖墳，以示風光，衣錦還鄉之意。實質上，古時的帝皇非常自私，其旨令國師暗裡視察名列前茅者的祖地風水是否會對自己有所威脅；要不然，就令國師改變他的風水，好令自己坐於皇位上，安穩享樂。（註：國師在古代的帝制裡，實質的官階不算高，但皇帝對國師卻非常重視，因為國師都是風水、五行、術數的高手，每當春秋二祭，驛馬出行，調兵遣將的時辰、地點、方向一一都由國師決定的，皇帝無所不從。）報章也曾有報道，前美國總統列根就每次出行決策都先問卜；即使現今很多國家政要亦都如是。有如孫子兵法一樣，在波斯灣戰爭中，聯軍的每個將領都一定熟讀的。這足以証明了我國幾千年前遺留下來的文化，至今仍然具有無窮的價值，五行術數亦如是，不過，最重要視乎學者的程度。

利智在中國房地產的投資以億元計，這可算是衣錦還鄉。還記否，當利智講廣東話唔清唔楚的時候，無論在舞台上或台下都是「噓」聲與白眼交加。在她的第一部電視劇《貂嬋》開拍，經武術指導金童的推薦，筆者替她擺了借煞為用的風水格局，發揮出牡丹花催財催貴的功效。回想起這次風水的例子，真是玄妙，這就是風水的價值。

練氣功得法能改變命運

有學生問：「修練氣功與改變命運有何關係？」命運學裡如是說：「身弱不能任財，身強可耀四方。」由此可知，身體的強弱在人生的運程裡，佔了何等重要的地位。

我曾經傳授氣功給一個姓莊的女護士，她對練習氣功非常認真，眼看她的面色由赤紅與為平淡，最後由平淡而變紅潤。當時我心裡想，氣功的效力真如此大。豈想到不出一月的光景，莊小姐對我說：「師父，醫生說我背上的腫瘤不用開刀割除了！」

我很驚訝，問道：「原來我替妳算命時，說妳身帶頑疾，就是背上有腫瘤？」

「是呀！」莊小姐很爽快地答：「當時醫生已約定開刀時間，但現在不用了！」

從上述的其中一個例子看來，修練氣功與命運的關係是如何的密切。當然，有很多人至今仍然存在一個疑問，練氣功會否走火入魔呢？答案是有可能的！因為有的修練時不得其法，有的操之過急，這都是非常重要的原因。常言道：「一要得師，二要修練，三要心神定，四要修行惡化善。」從上述看，原來修練氣功的人，人存僥倖、仇恨、憎惡、暴躁一既不能成功，甚至會走火入魔。內經是我國醫學界的金科玉律，其中有記載如下：「把握陰陽，提挈天地，調息精氣，精神內守，真氣從之，積精存神，虛邪賊風，避之有時，恬澹虛無，淳德存道，謂之借天地之靈氣，奪日月之精華，得天獨厚矣。」

董煒心性純良得名師傳授武功

古云財壯人膽，惟恐膽大而妄言、德行受損，有人因好勝而狂妄，令人難受，可有德乎？惟有人因酒肉之恩，甘而逐臭。世風日下，隨波逐流，比比皆是，如之奈何。

▲董煒相格柔和，心性善良也

研究五行術數，首重品格，得術而修德，人格高尚，方受人尊重愛戴。有人未曾學行先學跑，急功近利，世間豈有一步登天之理，更有人以為，以金錢利誘而拜訪「名師」，就可三朝兩日成大器，這實與學術背道而馳，如此急功近利之徒，完任不懂得尊重別人，完全沒有道德修養可言，縱能學得一技之長，亦未必是社會之福，更可能利用所學而製造社會矛盾，諸如此輩，可有福乎？

學藝之道：「一要得師、二要修煉、三要氣和、四要心善、五要助人、六要量大、七要克己、八要恕人、九要察時、十要知機。」為人師表，不明十要，乃遺患於後世焉。難歸正道之人，其相如：神閃爍、鼻如啄、氣粗氣狂聲勢惡、面肉橫、顴見角、手短無臂又縮膊、男望水、女觀閣、擦步雀躍難商榷。

著名武術指導兼演員董煒心性純良，故能得師父鍾愛，傳授一身好功夫，因此而揚名影藝界。

樓市股市　大財先行

　　樓市、股市皆以大財先行，一般小本經營者望之卻步，能得小利者，已屬幸運矣。古語有云：「細水可以長流。」生意之道，以循序漸進為吉。要改變命運亦一樣，有人急進求財問賭，俗語說得好：「幾時見過賭仔買肥田？」正所謂「三更窮、四更富」，擔驚受怕，能發達也未必好。一不留神，分分鐘駝背佬跳井，「死又唔掂，生又唔掂。」在相學上言，問急財，先看三點色：印堂黃先貴人來，準頭黃光財星照，人中黃光可受財。三色齊現，定有意外之財。

　　若逢眉毛暗枯，財來財去；逢口見藍，財來得病；兩顴灰暗，得財惹是非；額角見暗，得財而避遠行；山根見藍，得財而有誤祖先；臥蠶見青，得財而有誤子女。

　　因此，財之為物，如江河之水，順其勢而適用焉。

　　十年前，筆者替億萬富豪湯恩佳先生看風水，旨在財順平安，豈料地產樓價飆升，真個是「有福依然在，財來自有方。」真天機也。

▲億萬富豪湯恩佳先生石澳大豪宅每年由朱兆基堪察風水，左方為麥國偵夫婦

蔡李佛國際聯會成立賴同人齊心

　　成功在於團結，失敗皆因分裂，自古已然。道理雖然明顯，但是，人性在不同環境中卻因個人的私慾，迷失了自己的方向和公有的利益，因而產生了妒忌、自私和妄念，為了個人的自尊，棄大義而不顧，寧願一拍兩散、兩敗俱傷而甘心。此種心態的人，失敗是必然的，此種人的相格通常是齒不齊而咬嘴（常言咬牙切齒者是也）。

　　齒不齊之定義乃上下齒之左右不相對；咬牙者，乃將門牙縮後以下齒緊咬；切齒緊咬；切齒者，乃上下之齒向左右不停移動，近聽而有聲。如此之相，多為憎人富貴厭人貧，自尊心重，只許州官放火，不准百姓點燈之人；其命運，不問而知乃貴人短、失人和、婚破、財散，縱然財足亦無依，真個是生人勿近，避之則吉也。此種相格可有成功乎？

　　說到成功，本來四分五裂，分佈世界各地近百萬人眾的蔡李佛派，成功地統一起來，成立了蔡李佛功夫國際聯會。如此艱巨而繁複的工作，有賴於同門符國光、余鈾華、潘城、江興、崔廣源、謝榮斌、胡蘇等合力籌備，聯絡世界各地的同門和得到派中各前輩的鼎力支持，方有今日的成功。倘若不是團結，哪有成功之理！

　　命運亦如是，人能摒棄私慾和妒忌，縱不發達，亦有積壽積福之德。

黎漢持諳五行演得出色

黎漢持於電視劇《楚漢相爭》中飾演張良一角，所佔戲份雖然不算多，但是，黎漢持對角色的投入卻非常出色。

在歷史上，張良亦是熟讀五行的術數家，因為他知命和了解劉邦的相格，助劉邦得到天下後，便立即退出官場，雲

▲黎漢持擅五行，故知命也

遊四海而逃出生天。由於張良的術數高深和知命，對後世人的警惕有着很深遠的影響，亦得到研究術數人的尊重。

黎漢持亦是一個五行術數的愛好者，因此，對演繹張良的角色有特殊的表現，相信是必然的。

黎漢持時常與筆者相聚，一起研究相格與五行。論相格，黎漢持眉清見底，額角廣潤，少年得志，大家有目共睹。可惜邊城無骨，不利官途，這點，黎漢持當然明白；然其目滿利財，可以名成利就。

但是，黎漢持成名時並不利就，因其相局兩顴不起。如此之局，行於軍政必見刀傷；但是，準頭有氣勢，亦利於權令。

如今，黎漢持了在電視圈發展外，更與金童、白彪、方舟、龍英等一起搞國際性的貿易生意，每天必須要面對幾百人演講及進行各種不同籌備工作，成績當然不錯。相格的奧妙，實非一般人所明白的。

譚耀文是否未能珍惜成果？

筆者時常對學生說：「人唔得人喜歡，唔緊要，最緊要唔好乞人憎。人唔識講嘢，唔緊要，最緊要唔好衰多口。人的相唔好，唔緊要，最緊要唔好衰格。人的命生得唔好，唔緊要，最緊要有運行。」因此人的先天並不重要，後天的努力和珍惜才是最重要。人每做一件事，都只有等待成果、研究五行，就必須明白歷史的定律，成功是慢的，失敗是快的。就如做人唔係怕死，不過唔值得隨便死，但一定會死。但是人能在有生之年活得精彩，活得快樂，無憾矣。

人如何才能活得快樂呢？常言道：「門前無債主，家中無病人」，快樂矣。人豈無債？正所謂：「一生兒女債，半世老婆奴。」人為了保障自己的幸福，多運動、不酗酒、不吸煙，注意飲食；今人多買保險，以祈老有所養，病有所醫，積穀防飢也。

筆者很反對人推銷買保險，但卻很贊成人買保險。人能明白居安思危之理，亦有如明白命運、知進退一樣，忍耐等待，積極爭取，明白是非，珍惜成果。

有的人幸福垂手可得，但卻推出門外；有的卻苦苦追求卻不能滿足，甚至不能得到。命運之為物，真教人費解。研究命運的趣味，真難以言喻。人能把握時機珍惜成果，誠可貴也。譚耀文善把握時機，能否珍惜成果，則見仁見智矣。

▲伍霖開：譚耀文額如霞肝，應該少年得志

李中寧正財在後偏財在前

▲李中寧現身說法風水改運的經過

古語有云：「小人行險終須險，君子固窮未必窮。」此語說明了人們求財之道，最主要順其自然，不應有非份之想，不應心存僥倖，更不應心存不軌而頓生妄念。我們生活在這個功利社會裡，錢財對於每一個人都非常重要，真個是：手中無財，寸步難行。但錢財雖然重要，法理更加重要。是以：君子固窮，只要心中常樂，身體健康，這就是很大財富了，何窮之有哉？

有三級片「影帝」之稱的李中寧，幾年前他由英國回港，憑著一股衝動和信心勇闖娛樂圈。起初，他以純情的形象出現，及後更以武打演員出現，但始終都覺得不單進展緩慢，而且在錢財方面的進賬亦殊不理想。後來得好朋友陳家瑜介紹筆者認識，替他算命看運程，從他的命運中看，正財在後，偏財在前。

於是，筆者建議李中寧，若想發財，先由風水着手。他對於筆者的提議非常感興趣，於是筆者在他家居裡的一四七桃花功名位處掛上一幅巨型水畫，此畫名《四水歸源》，再在山水畫下面擺上一個花瓶，插上八支富貴竹，經常加插一些鮮花，以紅色及紫色為主。如此一改，李中寧搖身一變，成為當今娛樂圈大忙人之一，名成利就，理所當然。

內心妒忌激憤者易招失敗

市井皆以「擦鞋」一詞來諷刺一些比自己成功的朋友。何解？真是摸不着頭腦。

筆者認識一位今日社會非常成功的飲食業巨子，兒時因家境清貧，而在九龍城替人擦鞋謀生。他對我說：「別人的鞋子白色，我用白油幫他擦；別人

▲劉美君金水相格利娛樂圈發展

的鞋子黑色，就用黑油幫他擦，一下子，一對殘舊的皮鞋就閃閃生光，別人開心，自己又掙得錢財，真是雙得益彰，何樂而不為呢？」

是的，一個活在世上，能夠做一些別人有貢獻而令自己得益的事，那真是最公平不過，起碼比一些自命不「擦鞋」的人好。其實，「擦鞋」的定義就是依循合理、順其自然的軌跡，按照適當及現場不同的環境，處理不同的事項。這是任何一個人都應該依從和遵守的法則。

至於一些不願「擦鞋」的人，更有意把別人的白鞋子加上黑油，使人不安而難過。這種人抱着幸災樂禍的心態，隔岸觀火，這與盜賊何別？

一個譏諷別人「擦鞋」的人，充分表現出其內心的妒忌、無知和激憤，對安靜和平的不滿。如此違反自然的心態，於其命運中將會帶來很多無形的阻礙。這種人，到失敗時，不是怨天，就是怨地，其實最大的「小人」就是自己。

歌影視紅星劉美君，處事非常恰當，待人充滿愛心，她有今日的成就，實在是應該的。

精神力量　絕處逢生

李樂詩遊歷兩極無懼死神威脅，記得毛澤棟主席詩詞有如是說：「不到長城非好漢，屈指行程二萬。」是否到過長城的都是好漢？就不得而知了。

不過，如果用喜瑪拉雅山的高峰珠穆朗瑪峰與長城做一個比較，一個自命「好漢」的又是否可以攀登呢？

李樂詩——一個響噹噹的名字，但卻是一個弱質女流，視攀登喜瑪拉雅山如履平地，遊歷南、北兩極，亦視作等閒，此中，冰天雪地，駭浪驚濤，糧食不足，水源又缺。試問，人逢如此絕境，讓當如何度過，雖說度日如年，但是，人的生死，繫於一瞬之間，於此分秒必爭的困境中，人除了主要持續生命的飲食之外，還要保留其餘的力量和洶湧的大自然搏鬥，任你如何堅毅不屈，但當死神每一秒的向你迫近時，都難免恐懼和驚慌。

李樂詩又如何「從死神的魔爪中掙扎」呢？

天地間，有一種力量，比泰山崩、黃河氾濫要大，那就是精神力量。原來李樂詩每一次出發，或者由南、北極回來，都必定會探訪得道高僧乙炯大師，而每次乙炯大師都會送贈李樂詩一些「護身法寶」，同時亦替李樂詩祈福禱告。李樂詩就憑著這份精神力量，度過無數次死神的招手。

▲李樂詩與乙炯大師

李樂詩生成「辛苦命」相格不凡

有日，一位學生問：「如李樂詩這樣硬朗、堅強和勇敢的女生，在相學上又有何特別之處呢？」

相經有云：「男見郎君樣，女見鐵面皮，定是非凡之相。」

▲朱兆基與李樂詩

從李樂詩的相格看來，正是「鐵面皮」的表表者。或者有人說，「鐵面皮」的女性大多辛苦命，大家試想想，一個女性，不是在家中相夫教子，早餐晚食，而卻在人海中浪盪，更走到世界的最高峰、天涯海角的盡頭，如此女性，你還可以說是自在命嗎？因此，以相論相，李樂詩肯定是辛苦命。當然，一個人是沒有十全十美的，在這世界上，辛苦命的人亦佔大多數，只有那些終日無所事事，游手好閒的人才算得上自在命。但就算不是辛苦命，那又有什麼好處？

而話又說回來，李樂詩雖亦是辛苦命，唯其相格特別，當然亦有光輝的一面。相經亦云：「男犯女心，終生無依；女若男心，可成大業。」

筆者曾細心觀察李樂詩的言行舉止，只見她爽快、率直、硬朗，總是與女孩子的嬌柔、羞澀距離很遠，正所謂：「有諸於內、形諸於外」，李樂詩女若男心、成就大業，何足為奇？更見她顴鼻對稱，雙目神光閃閃、齒如伏貝、地閣相朝，中年後的運勢，更見高峰。

無情自私自減福份清寡一生

　　有個學生帶他的嫂嫂來算命，其命造傷官透頂，根源於華蓋星。於是，筆者斷曰：「此造夫福雖強，但卻無情自私，自減福份；若然一意孤行，定是清寡一生，無福可言矣！」

▲寶燈大師贈以「般若」使各位可得光明

　　「素知朱師傅洞悉失機。」嫂嫂頓一頓說：「但此回可算錯了！」

　　筆者知無不言，看其相，眉如劍直，目神緊張，嘴角略垂，幸好鼻準見肉圓，若然無此補救，福份不論矣！只見嫂嫂臥蠶色暗，奸門見晦。

　　筆者曰：「你如今有一個錯誤的構想和決定，這會影響你下半生的福德。」

　　「朱師傅，這回你又錯了！」嫂嫂帶點得意之色，曰：「我決定削髮修行，積點福給我的兒女和丈夫！」筆者問道：「你兒女多大？丈夫身家如何？」

　　嫂嫂曰：「大兒子六歲，小女兒三歲，丈夫并無家財，倘若我替他積福，說不定改變命運，若然如此，我的苦心就不枉矣！」嫂嫂如此語出驚奇，實令人咋舌，忍心拋下小兒女，留給一個工作能力并不高的丈夫，自己卻逃避現實，敲罄作樂，其自私程度，實非筆墨所形容。幸好，經筆者悉心勸告，嫂嫂最後取消了個念頭，留在幸福的家裡。

　　寶燈大師曰：「心善就是積福。」

自我執看和一時之快均不可取

「真作假時假亦真，有為無處有如無。」這兩句詩，用來形容執着、自我和唔識時務的人最為恰當。

俗語有云：「識時務者為俊傑。」此語果然大有玄機，人生在世，離合悲歡都是緣；尤其是今日的社會，誰知明日是天涯還是海角？能得短暫的相聚，可能已是永恒的回憶。

因此，誰是誰非，得失過錯，如果看得太重，莫道永遠的幸福難求，可能連短暫的歡樂也得不到。研究命運學的人都知道，執着就是幸福的絆腳石，寬恕就是幸福的泉源。幸福的泉源就是來自識時務。

近年很多傳言，不少男人在外面「包二奶」。其實，為尋一時之歡樂，花天酒地，而令很多成功男人一敗塗地，後悔終生。在命運學來說「包二奶」生兒育女，亦未必是件好事，可能成為改變命運的根源。因為，在責任上和道德上，都可能是男人一生的牽掛和負累。因此，如果有意「包二奶」的男人，便要三思而行了。古人云：「命裏有時終須有，命裏無時莫強求。」在這裡

▲狄龍、楊澤霖與作者合攝

是非常恰當的。因為夫妻同一命，是前生之緣；君不見很多拋妻棄子或拋夫棄子的人，到頭來都走上絕路嗎？因此，想成就大業，就莫執着於貪「一時之快」了。

「包青天」狄龍大哥就非常反對「包二奶」。

車毀人無恙　巧合抑神跡

　　自古以來，中國人都相信，玉器有定驚、辟邪和護身的作用，更相信比較好的玉器（翡翠）有助旺命運和改變命運的功效。

　　故此，幾千年來的中國帝皇，都用上等的翡翠玉石製成印章，天下人稱之為「玉璽」；很多達官貴人，更視玉器、翡翠為身的象徵，平常人則視之為護身符。

　　時至今日，這種觀念，不但是中國人相信，連西歐很多對中國文化有認識的人，都配載玉器，一時間，玉器風靡中外。

　　九三年間，筆者曾贈送一塊玉器給馬來西亞的好朋友王錦雄，更教他打賊棍法。當時有個姓林的小姐在旁，她的神情很奇怪，因為筆者從來都沒有教人打賊的。

　　後來，王先生的家真是遭賊光顧；當時他家中存有二十多萬元馬幣，但是，這個賊只偷了他的零用錢和筆者送給他的一塊玉器，這件事發生後，林小姐才明白筆者當時的天機，及後，筆者再送了一塊比較好的玉器給王先生。

　　幾天前，王先生打電話給筆者，說這塊玉器保了他一命，因為他的汽車在沙勝越跌下山坑，汽車毀壞下堪，而人卻一點損傷也沒有，在場的人都認為這是奇蹟。但是，他們卻不知道王先生身上配了筆者送給他的一塊開了光的玉器，這真不知是巧合還是神跡？

不同地理環境產生不同面相

馬來西亞一個朋友問：「人是否一生都受風水支配？」

筆者曰：「是的！」

朋友再問：「很多人未必相信風水，那又如何？」

筆者答曰，有些人不相信風水，是因為對風水缺少認識的緣故。但是，這些人喜歡研究家居環境和顏色、傢俬的擺設、床灶的方向，這已經是風水了；不過，是否符合自己的命運、太歲的喜忌，那就不得而知了。

有時，他亂擺亂放，可能是對的，或者是不對的；但是，自己卻不知道，至於日後所產生的效果，他們卻以為是偶然。

其實，他們一直都受風水所支配着。比如，很多人都很容易看得出一個完全陌生的人屬於何處人士一樣，為甚麼呢？這是因為任何一個種族，他們的祖先所出生的地方都有所不同，因此，即使是同樣是一個種族，亦可以很容易被人看得出是那個地方所出生的人。

例如我們中國人，是同一個種族；但是，上海人、北京人、湖南人、廣東人，只要用點精神就不難分別了。即使是廣東人，亦很容易分辨潮州人、廣州人、中山人、這完全是地理環境的風水影響而有不同的面相。有些上海人在廣東居住一段長時間後，其所出的後代就很難看出是上海人了，這不是証明了人的命運一直受風水支配嗎？

大魚缸影響蔡國慶父女運程

很多人問命運，都喜歡問財運、桃花運、自身運、貴人運，至於方向應運就較為少。

其實，人的命運，方向運是非常重要的；只要方向配命運，其他的運就會應運而生。

至於一些不能利用方向配命運者，也可以利用衣服顏色、配戴鑽石、玉器、金器、住宅的顏色、床灶的方位等來改變命運。日前與導演蔡國慶相遇，他問筆者，甚麼方向最利他？筆者毫不猶疑地答他，東南方最利。

可能，有人會問，香港也是南方，那對於蔡國慶似乎沒有大利？是的，這也是道理；但是，諸君卻不知道，蔡國慶的住宅擺放了一個佔了整間屋三分之一面積的大金魚缸，這當然大有玄機。

還記否：「寒木向陽方為貴，陰土有賴陽火生。」何以筆者論蔡國慶的相格為土形屬陰呢？相書有云：「濃眉目暗，陽火不足，木形不長，土形不生，金形遲運，水形損身，火形柔順。」雖然，蔡國慶和他的女生蔡立兒在電視圈和歌唱界亦頗有名氣，但是，卻被過大的魚缸影響了不少前程，這就是「風與水，得其法，方為用」的道理。

在風水的角度上，水以衰為旺，亦以旺為衰，風以暢為良，以動為散，風利於明堂，水不利中央，這是陽宅風水不變之理，亦是風水最關鍵的法門。

▲蔡國慶寒土形格東南方大利

陳友虛心好學習　成當紅導演監製

兒時常看賣藝，有一位老藝人，每次都唱着這首詩：「澗底青松嶺頂花，青松地勢不如花，有朝一日霜雪下，只見青松不見花。」

其意是指一個人在得意時，切勿有風使盡艃，今日富貴理應好好珍惜，更重要的是，自己要明白自己的處境，莫得意忘形。

其實，很多人都有一種不正常的心態，只顧目前的花花世界，陶醉於醉生夢死的享樂時光，從而疏忽了未來的重要事項和目前所要付出的犧牲，因此而產生了很多不安和悲劇。

有更甚者，目前得志，語無倫次，有者以本傷人，有者以利爭名，更有者以為自己有錢，只要看誰不順眼，就不惜一切，趕盡殺絕。這種人，真要顧住後尾幾年，做人做得太折墮也！

從相學上觀也，這種人一定是：「三角眼、鼻尖啄人，山根薄如刀片，咀斜牙落，哭笑無常，時喜時怒，目如噴火，咬牙而語，側面而視。」如此之相，生人勿近，避之則吉。

常言道：「積穀防飢，積福防老」。真個是語重心長，真禪機也！

由歌壇轉向影圈發展的陳友，明白到奮鬥的重要，虛心好學，成為今日影壇最有票房保証的導演兼監製之一，真知機也。

▲陳友金木格，多才多藝之相

盡其在我　已是功德

有道是：人生不如意事，十常八九；怕到中秋，早到中秋後，嘆句光陰飛逝，人奈若何？人能在有生之年，問心無愧，何憾之有哉！

時人修心，以生不入官門、死不入地獄為無憾。殊不知，凡作有使人不安於心之事者，亦有損德行，何其難哉。生不入官門尚可，死不入地獄難言。

人的想法各有不同，因果之說，簷前滴水，分毫不差。

要改變人的立場難，改變人的想法更難；無論別人如何，強求不得，只求自己能做得到的，都盡量去做，這已是很大的功德矣。

或許，有人會說這是無奈；其實，人一生下來，就已很多無奈，無論父與子、夫與妻、兄與弟，能不奈何乎？時人皆以錢財論成敗，殊不知財乃招禍之根源。

古人言，富貴不還鄉，有如錦衣夜行，以至時人視名利作炫耀，難有富而不驕矣。有道是，財不露眼，可保平安。平安與虛榮，亦難作抉擇，是否無奈？

從相學上，露骨之相必虛榮，目凸之相無忍耐，露灶之相財難守，眉寒之相不聚金，三角眼相定無情。凡此相格者，難修心矣。一生都在不滿與無奈活着，這就是命運。

狄龍深明幸與不幸之理

人人都想改變命運，希望擺脫貧困和苦惱。要改變命運，首先由了解命運開始；如果不了解命運，則很容易陷於迷信。

問一聲，有誰會想在鬥爭中過日子？無論我們祖先留下多少福蔭，或是窮終生的努力，其實目的只得一個，就是希望日子過得安靜和幸福。

古語有云：「男人最怕入錯行，女人最怕嫁錯郎。」這就是我們在選擇前必須有一個明確的決定；這個決定，是不可言悔的。

試問，這世上有誰可以一錯再錯的？因此，一個人能了解命運，就減低了選擇上的錯誤，就如有人問：「擺風水的目的是甚麼？」

筆者曰：「風水之道，以增強人的命運及增加人的智慧為至高境界！」

至於了解命運，必先明白五行；所謂五行，並非知道金、木、水、火、土那麼簡單；其重要者乃於天地間五行的變化中，領悟人生哲理和做人的方法，從而在不斷的研究中啟發人的智慧。人有了智慧，就能於瞬息萬變中霎那的決定不致有失，正所謂：「一子錯，滿盤皆落索。」或許，有很多人會以為，幸與不幸是由上天注定；狄龍大哥就時常說：「大海是由神創造的，苦海是由人自己造成的。風水是以不同的數理，改變天地間運行的順逆，趨吉避凶而矣，並不迷信。」

謝霆鋒：自知幸運

在一個大型的音樂頒獎禮上，奮鬥了很久才有名氣的張衛健和一出道就很有名氣的謝霆鋒（謝賢之子）一齊上台做頒獎禮嘉賓。

▲謝霆鋒相格清奇，可得祖蔭之相

主持人問張衛健：「你覺得和謝霆鋒相比，有何感想？」

張衛健曰：「噢！各有前因莫羨人！」

主持人又以同樣的問題問謝霆鋒。

謝霆鋒答曰：「一命、二運、三風水。」

一個默默耕耘、好學不倦終得成果的人，沒有怨言，沒有驕傲，沒有妒忌，但卻有點無奈。

一個憑藉父母餘蔭、沒經過艱苦奮鬥而有成果的人，沒有輕挑，沒有忘本，沒有自誇，但卻知道幸運。

幸運是由上一代給予的，就是一命、二運、三風水的結合。無奈則是沒有一命、二運、三風水的結合。

這是無法抗衡的，若想成功，就必須以恒毅不朽的奮鬥，等待幸運的降臨。

有些人只見人收成，不見人耕種，動輒妒忌，實小人所為也。與小人交，如與虎同眠，睡又死、醒又死，日子何其難過？

筆者就時常對一些有幸運而不知別人無奈的小人說：「受了傷的背着個沒有受傷的走，沒有受傷的騎着個受了傷的走。」此中滋味實各有不同也。

君子知命　知命是福

筆者有個學生鍾植偉，在未結婚之前，時常在課堂裡對師兄弟們說：「學識看相找老婆真難。好相的，看上了，別人又不喜歡自己；喜歡自己的，但又看出很多缺點。唉！不知如何是好！」

有個學生答他：「別人好相那有何用？最主要知道自己有多大的福份！」

鍾植偉茫然地默默無言，他喜歡沉思，為人冷靜，卻較為執着，他點著頭道：「老師說得好，君子知命，知命是福！」

時間過得很快，不過鍾植偉的婚訊也不慢，短短幾個月的時間，他就找到理想的終身伴侶。真個是：「仙人指路，茅塞頓開。」

俗語有云：「落地喊三聲，好醜命生成。」其實，命屬先天所定，根據天干地支排列而成，永不可變。這是命運的軌跡。人們從命運的軌跡中知道運程，這並不重要，最重要的還是如何從後天的努力中去改變命運，這正是千里馬與伯樂的微妙關係。因此，研究命運的人與伯樂同一關係，很容易造成「一這興邦，一言喪邦」的效果。

是以一個真正的術數家，必須要術數與德行同樣有修為，才是正道的術數家。

葉振棠愛和平‧聲量雄厚‧人歌合一

有學生問筆者：「為何很多人擺風水多用三叉八卦？」

筆者回答曰：「各施各法，這有何奇！」

不過，站在風水的立場上看，用三叉八卦者，多有鬥煞的含意，如果有可能的話，當然以化煞為高，更何況，天地萬物皆有潛移默化之理。亦即是說，存在於天地間的生物與死物，都一定在時間的演變下改變其原有的功能，有的增加，有的減少。成語考有言：「蒼海桑田，瞬息萬變。」其理在於日月陰陽的變化，風水不定的衝擊，以至山川河流的有所變動，是的，三叉八卦是後天人為的力量，如果與大自然的力量比較，則有天淵之別矣。不過，對於一些較輕的煞氣是未嘗不可的。

風水前輩有言：「能化則化，化則兩全其美；能避則避，避則適者生存；能鬥則鬥，鬥則勝者為王，敗者為寇。」

說到鬥，無論為王為寇，亦是兩敗俱傷。當人心存鬥念，一生痛苦，所為何事？

常言道：「獵狗終須山上喪，將軍難免陣中亡。」君不見《三國演義》中的英雄、梟雄，哪個不是陣中亡的。

唱《三國演義》主題曲的歌者葉振棠則是一個愛好和平的仁者，不過，他的聲量雄厚，唱此歌時雄壯中帶有很重的滄桑味，實至人歌合一之境。

▲玄覺居士論：葉振棠愛好和平之相也

金童當年轟烈視作雲煙

有個學生名鐵漢，唉聲嘆氣地問筆者，有甚麼良策能逗女友開心？

筆者微笑曰：「良策得一：『不要也罷！』此策可得安寧，亦可免卻終生煩惱。」

鐵漢問：「不要也罷？可解？」

筆者不言。心想「夏蟲安可語冰？」

命運的相配，首重相生，次者比和，凶者相沖相剋。

相生者見而悅之，行事順利；比和者見而喜之，每事順利；相沖相剋者見而惡之，凡事阻滯。人能明白五行混化，胸襟廣闊，何事煩哉？

大文學家韓愈有言：「人之相知，貴相知心。」

人活在世上，時常猜疑，無中生有，為求己樂，不問同路困苦，何幸之有哉？不活也罷！

筆者斷言割蓆，實命運使然也。時人因迷戀而妄，因一時之快而陷終生煩惱之苦，比比皆是也。

俗語有云：「緣定三生」，此乃姻緣由天所定之說。究命運之緣，何只三生？有道是：三世修來同渡過、十世修來同檯坐、百世修來同床臥。

由此觀之，緣之為物，實非常珍貴！只要人情留一線，朝夕好相見，真美事也。

著名演員兼武術指導金童曾嚐割蓆之痛。他深研五行，胸襟廣闊，當年的轟烈，視作雲煙，真君子也！

▲金童、羅國輝、朱兆基、玄因子

淺紫粉紅上和天干下暖地支

有位朋友向筆者訴苦曰：「某某人，以前我如何的待他好，今日他發達了，竟視我如陌路，真氣憤！」

筆者曰：「你們誰是誰非，難下定斷，相信冰凍三尺，非一日之寒；不過，個人認為，你時常掛念著待人如何的好，那做人

▲木東相格清奇，談笑用兵之材也

一定痛苦；如果你能時常記掛著別人如何的待你好，那你做人一定快樂！」其實，每一個人都有感恩圖報的意識；不過，在環境的變遷下，有輕重之分。有很多人在心理上都如是想：付出的以為很多，受益的以為很少，如果能抱「施恩莫望報」之想，那就少了很多煩惱，真開心也！

「一年之計在於春」，我突然想起朋友家的大門是黃色的，於是對他曰：「黃色大門乃大凶之象，丙子年太歲天干屬火，地支屬水，黃色屬土，至尊之數，上洩天干之義，下剋地支之情，此乃天地不和，因此大凶。重者不論，輕則官非破財、多病，從速改之，冀能逢凶化吉。若然淺紫、粉紅，或者淡綠，此色上和天干、下暖地支，太歲若然安撫，財運亨通，貴人旺相。改與不改，看你造化！」朋友頻頻應首，雖沒言語，卻勝有聲。

朋友之道，貴乎君子之交淡如水，互相扶持，盡在不言中。木東兄與筆者廿多年來，共敘暢飲，看盡人生百態，任其嬉笑怒罵，視而不睹，聽而不知，實人生至高的哲學也。

劉兆銘順天知命積極人生

世人多因妒忌而爭，憎人富貴嫌人窮。若然人能自知，明白自己應該做適合環境的事，不作妄念，胸襟豁達，何爭之有哉！

常言有道：「各人自有各人福。」

佛家有言：「種瓜得瓜、種豆得豆。」

道家曰：「造化。」

古人云：「一切禍福，前生所定。」

筆者曰：「人能無憂地生存，已經是很大的福矣！還求甚麼？」

做人，能見一事、長一智，已經足夠了。只要人能長智，就能分辨是非黑白；能辨是非，就能知自我；自我者，責任之謂也；能知自我，就少了很多是非和煩惱，何樂而不為呢？其實，富貴與貧窮，只是一線之隔；君不聽古人言：「知足者（有禮守義之人）貧亦樂；不知足者（貪婪無道之人）富亦憂。」

貧與富就有如善與惡一樣，只在一念之間，人生匆匆數十寒暑，一切有若浮雲；古之英雄有誰不死？成與敗，只是殊途同歸。人在有生之年，只志在爭，何福之有哉？

好爭之人，其相格如下：「顴橫、鼻曲、腮露、眉惡、鼻背如刀、倒齒、牙落、言而磨齒，非善相也。」

影視紅星劉兆銘，全情投入藝術舞蹈的發展，對於名與利從不強求，真是順應天命，積極人生，樂得天年之相也。

▲劉兆銘金土格，才藝俱全之相

汪明荃平日慎言　為善舉不甘後人

筆者有個姓朱的同鄉，幾經艱辛，來到香港，以為到了天堂，一定發達。此人有點小聰明，但缺口德，不過懂得利用時機，但求發財，不分黑白，顛倒是非；一時間，真的財源廣進，更口不擇言，嘩眾取寵。豈料，一個賭字，把他打回原形，潦倒不堪，真個是：「天不欺人人自欺。」但是，如此之人，還不知悔改，更不甘屈居人下，到處搬弄是非去掩飾己過。

正所謂：「一言興邦，一言喪邦。」言之為物，不可不慎也，此人心歪無學，如之奈何。觀此人相格，面窄鼻骨現（失德失義），門牙倒生（男相心狠自私而好誇），嘴尖唇薄（是非多言而折福），走路搖膊（散盡家財）。兩腳輕浮（為人不正不忠），言而咬齒（言巧心毒），聲尖如狼（拋妻棄子），言而露筋（貴人盡失），顴骨如刺（笑裡藏刀），地閣尖削（晚年無食之相），腮骨反凹（心狠手辣、陰險奸狡），眼神閃爍（多疑多妒），言中閃視（心歪匪盜），滿面橫筋（勞碌無財），面如郎君（多淫招劫），眉如亂草（文章全無），鼻高無肉（貪婪好色），耳宿骨反（反骨無情），眉骨高而聲續（高傲無才而不甘人下）。如此之相，一善可以改之，相經有云：「心善相和，可化萬劫萬災。」

影視紅星、人大代表汪明荃小姐一向慎言，但言之有道，每逢善舉，都不辭勞苦，實積德積福之行也。

▲玄因子論：汪明荃心善相和之相

李潤添崇尚武德有教無類

筆者問弟子：「怎樣的人才得人尊重？」

有弟子答曰：「財多之人。」

非也！財多的人只可以說有很多人奉承，並非尊重也。有些為富不仁者，更令人討厭。

雖然古人有言：「窮在路邊無人問，富在深山有遠親。」此語未必。君不聽：「水平在深，有龍則靈，山不在高，有仙則名。」所謂龍者，本領也；所謂仙者，德行也。

一個有本領的人，無論貧或富，都一樣受很多人喜歡；一個有德行的人，無論貧或富，都一樣受人尊重。

詠春派李潤添師傅棄商從武，執教浸會大學、中文大學、香港仔社區中心、香港武術文藝中心詠春班總教練，真是一鳴驚人，此乃藝高人膽大也。原來李師傅師承於國際詠春拳術總會梁挺宗師，為四級技士。查梁挺宗師，一向以發揚詠春武術為己任，發揚武德為宗旨。如今詠春分館遍佈世界各地，門下弟子以數十萬計，李潤添師傅是其門下得意弟子之一，其宗旨亦如其師一樣，崇尚武德，有教無類。

學習武術，目的在於強身健體，對一生命運亦有很大的幫助；即使立志保家衛國，沒有強健的身體，一切都是徒然，雖財多福厚，亦形同廢物。李潤添師傅曰：「少年勤向學，避免老大徒傷悲。」

▲作者與李潤添、林祖輝合攝

命好運好不如流年好

　　古語有云：「命好不如運好，運好不如流年好。」這並不表示命不重要，而是命與運的配合更加重要。但是，遇到流年太歲與命運相沖相剋時，命運好又有何用，正所謂：「身強方可任財」，相反來說：「財重身弱」，那又有何用呢？

　　命運不管如何，只要知道趨吉避凶之法，那就不怕命運作弄人了。

　　多年前，筆者曾與前武術協會一位資深師傅促膝暢談，不覺間，由天南地北談到命運之說。當時筆者很肯定的對這師傅說，流年四十七歲，最忌擴張發展，否則破財。可能當時不以為然，該師傅四十七歲那年，除了他本身經營的生意之外，他拿出一筆為數不少的資金，發展滑浪風帆的生意。這一來，他的生意未成，所投資的金錢已用光了，後來還真的血本無歸，破了大財，真個是，英雄難與命抗衡。從相學上看，這資深師傅屬土形，眉重有力，屬刻苦耐勞型。雙目神光閃爍，聰明而反應敏捷。眼尾略垂，為人心性仁慈，利於醫界發展，兩顴守天蒼，為人有權有令，有始有終。山根挺拔，可惜露灶，為人雖然疏財仗義，但流年四十七歲，卻難逃破財之劫，此乃運之所至也。

自私固執失運　損人利己招殃

馬來西亞一位虔誠的佛教徒，某日遇一和尚上門化緣，傾談間問和尚：「佛說戒殺生，蚊子咬人打死了蚊，可算殺生否？」

和尚只問：「蚊子是否有生命？」言畢轉身而行。蚊子有生命，可算殺生，如果很多蚊子在咬時，能不殺生乎？

常言道：「佛都有火。」蚊子咬人，作惡太深，雖然大開殺戒，打死了蚊，此亦善哉，一則為其苦難的生存早作解脫，輪迴再生。二則使愛好和平的人多點寧靜，此情此景，戒殺豈不枉縱乎？人之為惡，皆有其詞，只是是非分明，不容妄為。人之讀書，所為明理，人之所富，只因其動，人之執著，只因自私。有人為一己之慾，損害別人，有人為投人所好，委屈自己。損人者，運從何來？委屈者，必不招禍！此乃適者生存之道。

不過，有時做人，未必一本通書讀到老，就如善惡之間難盡如人意，最重要者，乃泥水匠開門口，過得自己亦要過得別人，過份強人所難，終成「神台貓屎」神憎鬼厭。做人之道，過份自私固執，輕則入窮途，重則招旦夕之禍殃，戒殺焉，總之：「放下屠刀，立地成佛。」亦天機也。

趨吉避凶
教學

玄學大師教你採取主動——
為自己化煞消災、祈福納吉、化危為機！

改名換姓、搬屋移民、重設家居佈局、擺放風水物品等，
都可以為自己消災改運，聚財化煞。

何謂五行相生相剋？

任何術數都離不開陰陽五行，在不同的需要上，運用五行的生剋混化以作不同用途。到底五行如何分辯呢？

五行的方位分辯法很簡單，東方五行屬木為震宮，南方五行屬火為離宮，西方五行屬金為兌宮，北方五行屬水為坎宮。在十二地支的五行是這樣分的：子（鼠）亥（豬）屬水，寅（虎）卯（兔）屬木，巳（蛇）午（馬）屬火，申（猴）酉（雞）屬金，辰（龍）戌（狗）丑（牛）未（羊）屬土。

十天干的五行是這樣分的，甲乙屬木，位於東方，丙丁屬火，位於南方，戊己屬土，位於中央，庚辛屬金，位於西方，壬癸屬水，位於北方。

我們除了要知道天干地支的五行之外，還要知道五行的生剋。生的一面為：水生木，木生火，火生土，土生金，金生水；在剋的一面為：水剋火，火剋金，金剋木，木剋土，土剋水，這就是五行的生剋。在五行中，有的明明是生的，但卻不生，有的明明是剋的，但卻不剋，這就是五行的局與合。

如：寅午戌會火局，申子辰會水局，亥卯未會木局，巳酉丑會金局；天干相合：甲己合化土，乙庚合化金，兩辛合化水，丁壬合化木，戊癸合化火；地支相合如：子丑合化土，寅亥合化木，卯戌合化火，辰酉合化金，巳申合化水，午未合化火。

說到相合，又有相沖，天干相沖如：甲庚相沖，乙辛相沖，丙壬相沖，丁癸相沖；地支相沖如：子午相沖，丑未相沖，寅申相沖，卯酉相沖，辰戌相沖，巳亥相沖。

湯恩佳常運動保持精神健旺

古聖賢云:「人之初,性本善,性相近,習相遠」這就是命運。

相信,每一個人的命運都由最初開始,無論其少年時所得到的或失去的,或是任何感覺、感受,都不能因

▲湯恩佳會長與作者一齊練氣功的情形

時間的過去而不留痕跡,這種痕跡就是命運的軌跡。因為,在人生旅途中任何一個選擇或決定,很有可能受到每一個人不同的過去遭遇而受到影響,這種影響有可能是錯,有可能是對,這種錯對就是得失。因此,研究命運學的人,必須要由一個人的先天父母開始,在人相學裡,先天看耳額,耳珠相垂者,不是少年自身強是近於祖。至於相書裡云:「耳珠相垂,可得祖業。」這是未必的。不過,少時近於祖父祖母都是一種幸運,因為在這種情況下有機會承受上一代的成敗經驗,在運程上,亦顯示其家庭狀況良好、貧富不論,既然如此,就直接影響到一個人的後天心態。是以觀看命運是先天後天相配的,試問一個人體弱多病,如何奮發圖強,如何面對社會不斷進步,人類競爭的壓力,這就是先天失利,為了謀後天的補救,很多人利用食療、運動、武術、氣功等來彌補先天的不足。

香港羽毛球總會會長、孔教會會長、廣東省政協會員湯恩佳先生,為了應付日理萬機的繁忙工作,除了每天清早游泳之外,還定期練習羽毛球和練習氣功,以保持精神的健旺,服務社會。

四水歸源　掛畫改運

在相學裡，除了十清一濁、十濁一清之外，還有五行、十形，五行者：金、木、水、火、土。

金形方面，聲音響為歷格金相，金主冷酷、冷靜、鎮定、堅強、勇敢、果斷和

▲ 四水錦源山水畫，難求也。關德興仙師，朱鶴亭老師一齊開光。

急智，是故金相的人多適合從政，營營役役之事業。論命運，財來財去，大上大落，刑剋重，子女、妻妾緣甚薄。

一般而言，正格金相的人多是為官；近金相格的人卻多招官非、多爭鬥、多是非、多刑剋、多孤獨而無財之相。若逢木遇為金木格，此格之人多凶險而勞碌，若逢目暴非命之相，多則富而促壽。是故，中年發財而積福，多行善修身而積德積壽，命運之所謂註定，亦未必不可能變。

相經裡云：「相由心生。」謂之有好心而無好相者，亦有相由心滅，謂之有好相而無好心者，雖然說一切災難禍福俱在五行之中，運途之起伏吉凶，難逃數理，但命運真正掌握在自己手裡。其真正意義在乎於惡從善中改，逆時還須向順中求。

金相的人，如果在配婚時年紀不相丁，可避免剋妻之劫，得子過契亦避免刑剋之災。若然正格，受於奉祿，不打妄語貪念，避免官非災劫；若非正金格者，更要循規蹈距，方得平穩，安居樂業。而改變運途中的一個重要的法門，就是在家中一個適當的方位掛一幅適當的山水畫，取其以金生水，改其心性，以收其利

貴人，生財富之效。

　　圖所見之山水畫乃四水歸源局，是以風水角度而經有經驗的畫家所創作的，加上有道行的人開光，這才算是完美的改運法。

風水宜化不宜鬥

一度盛傳中環娛樂行與華人行兩座大廈互相鬥風水之說，眾說紛紜，莫衷一是。

有人說：劉鑾雄的娛樂行在建築設計上有意擺歪方位，把整座大廈的一個角對正華人行，有如一把大斧劈向華人行，欲有把華人行一斧劈開兩邊之勢。於是華人行擺設了一對巨型銅獅鎮煞，傳說功效並不理想（這可能還有其他內在因素，定是局外人不能理解的）。於是華人行後來又在天台最高的位置擺了一對古炮，方向對正娛樂行。從風水學的角度看，這是鬥風水用的重型鬥煞工具。有的風水先生說這樣的巨炮可用作把對方煞氣打得粉碎。這真是荒謬、幼稚。

從風水的基本知識看，風水宜化不宜鬥，化則生財和氣，鬥則兩敗俱傷。更何況，娛樂行的建築比華人行高出那麼多，真正可收借煞為用之效。不過，李氏卻對外界說，這是裝飾而已。是耶？非耶？看官自己猜好了。

我記得很清楚，電影明星金童第一次請筆者看風水，他的家居佈局本來不錯，山水畫掛於化煞生財之處，財還可以，可惜在山水畫之左上角掛了一把銅錢劍，這就有招凶險之災矣。果然，金在「亞洲電視」任武術指導時，真的經常流血，這就是風水宜化不宜鬥的道理。

▲金童以水山畫加強家居風水「風山水起」矣

中銀大廈助禮賓府風水

論中環風水，一直都是術數界的熱門話題，尤其以中銀大廈為甚。有很多人認為，中銀大廈的形狀有如利刀，直刺禮賓府；於是禮賓府又請得風水師為其佈局，以向正中銀大廈的一方種上柳樹一棵，作為「以柔制剛」之用途。其實，如果我們站在風水的角度看，倘若中銀大廈真的視為鋒利的刺刀，那麼，這小小的一棵柳樹又如何可以抵擋或化此煞氣呢？如此說來，真有貽笑天下之感覺。俗語講得好：「唔識嘅俾佢嚇死，識嘢嘅俾佢笑死！」

當然，在風水學裡有化煞、鎮煞、擋煞、引煞之說。其實在風水學裡最高的招數就是借煞為用，這招數歷年來在報章或其他傳播媒介都未有人提及過，筆者在這裡第一次揭天機論中銀大廈與禮賓府的密切風水關係。其實有中銀大廈，才能相助於禮賓府的風水，如果能借煞為用，那就相得益彰，天下太平矣。

在風水學的理論裡，禮賓府得南龍之氣，騎於龍背之上，視作騎龍格，坐空朝實，吞吐自如，可升可降，屬三元不敗之局。至於說甚麼煞氣可以影響禮賓府，那就要實地堪察才能解答。因為港督府得天然旺氣之助，得天地龍氣的先天優勢，本身的格局亦非常強盛，一般的煞氣是不能輕易左右禮賓府的風水格局的。

問相之道在乎真誠

大丈夫下馬問前程，自古已然，問相之道，在乎真誠，誠者應於天地，不誠者逆於天地。相經有云：「有相無心，相隨心滅；有心無相，相隨心生。」此是永不改變的道理，以心善去改其惡，應於萬物，處世待人，無往而不利也。

術數之道，在乎明白命運，改變自己的人生，由逆境而走向順利，由悲觀而走向樂觀，絕非迷信之謂也。世人不察，視市井之江湖騙子為術數家，謂之睇相佬、風水佬，殊不知，風水命理，五行術數，乃我國幾年千年遺留下來的寶藏，高深莫測，絕非一般市井能輕易理解。很多騙徒利用自己的一點小聰明，了解常人的一般心理，加之鼓吹奉承，倘若聊以餬口，實屬情有可原；倘若變本加厲，運用不正當手法以騙取巨款之類，於天理不容。此乃不誠者也，其劫自招。

早前偶遇著名武術指導，徐二牛在電影圈算是前輩了，他所拍過的電影電視不計其數。雖然，一直以來，不少武師由新丁追隨二牛哥，以至名成利就，徐二牛全不居功，只輕描淡寫當笑說：「人有人福份，命運不饒人，眼見很多兄弟名成利就，這是他們自己用血汗爭取的，只要大家開心就是了。」

二年哥問相於在下，先除眼鏡，挺直腰肢，凝神細聽，一派大丈夫下馬問前程的風範，真君子也。

▲徐二牛下馬問前程，真君子也

吉隆坡風水講學插曲

相經有云：「有相無心，相隨心滅；有心無相，相隨心生。」意思是說，無論你命運如何，只要你向美好的想和美好的幹，命運會由貧困轉向美好，這就是「富向善中求」的其中道理。

▲ 林美儀贈送錦旗給朱兆基，旁為馬來亞知名人仕。

當然，有些人，順水有船偏向逆水走，招致劫數，實屬意料中事，能保生命平安，已是家山有福矣。

多年前，筆者曾應真美善集團邀請，前往吉隆坡的精武山廣場主持風水演講會。此中，有位不相風水的林美儀小姐，曾發問很多問題，筆者詳細解釋後，她不但對風水產生興趣，更親自邀請筆者前往她的老家彭亨州「魯勿」看風水。

羅盤一開，星宿走定，門前利箭穿梭，二五加臨，探頭閃窺，二三鬥牛逢交劍，煞氣當然銳不可擋。筆者斷言曰：「此家有病人。」林小姐答：「我媽在醫院。」

筆者欲言，忽見一少年，由外而回，筆者問：「此少年是離？」林小姐答：「是我小弟。」筆者曰：「此少年於今天起，個半用不能出夜街。」林小姐當然緊張，她的弟弟卻不以為然。

一個多月之後，林弟應約參加朋友派對，於深夜在高速公路撞車，車上三個少年，死去兩個，只有林小姐的弟弟受了輕傷，至今已完全康復，幸好風手擺得及時，要不然，效果如何，則另有他說矣。及林小姐贈一面寫上「保我一命」的錦旗給朱師傅以表敬意。

劉家輝中土有情兩顴有力發達格

五行之格,以金、木、水、火、土而定,相生者吉,相剋者凶,正形者大富大貴。

相格之說,最忌破格(亦即破相)。老生常談:唔怕衰相,最怕衰格。衰相可補,衰格即破。

筆者經驗論相,相衰唔怕破格,相好最忌破格,此亦如十濁一清、十清一濁之說相近。

因此,論相易,論格難。

正常論格如下:人肥腳細破驛馬格,面大鼻細破財格,眉大印細破壽格,肚大臂細破福格,鼻大峰細破祿格,眉大眼細破德格,顴大嘴細破食格,頭大身細勞神格,掌大身細勞祿格。

女相金水桃花格,眉粗眼凸刑剋格,顴高鼻大欺夫格,若配鼻小偏房格,眉高眼大自刑格,若配刀鼻殺夫格,眉高眼小自傷格,眉亂眉逆破則格,眉順幼清積財格,眉清目銳創業格,顴鼻對稱當權格,眉垂目暗失運格,顴鼻三峰英雄格,兩顴破鼻剋夫格,頸短宿膊魁是格,腰圓臀滿多仔格,神情柔順旺夫格,聲清響亮當貴格,聲啞吞噬破福格,步如雀躍破祿格,神情閃爍破貴格,聲大無尾破壽格。

論格之道,純以經驗分界,以正格論之,亦十之八九。武打影星劉家輝,中土有情,兩顴有力,為自力起家、生財發達之格。

▲劉家輝顴鼻對稱,白手興家之格

江濤改江圖去掉「一片汪洋」

俗語有云：「唔怕生壞命，最怕改錯名！」

改名的定義，是以字的五行補命本身的五行不足，然後以字的形態與人面相的形態相稱，再以字高音、低音、響音、頓音來作名字的平衡，最後以字義是否與其命運相配，如此多的配合，才算是真正的改名。

雖然是一個很簡單的名字，人人都有，但是卻很少人會想像得到，一個名字好壞，會直接影響到一個人的情緒和心態，甚至健康與前程。

江圖，原名江濤，改名前其健康狀況都算正常，但是卻時常感到胸口納悶，呼吸不暢，思想較灰，對於前景一片迷惘，奮鬥性不強，時常處於沉悶的狀況。其實，從江圖的面相上看，完全是一個標準的鐵漢，應充滿剛勁與鬥志。

有日，名導演陳少鵬推薦筆者替江圖研算八字命理，發覺其命盤中一片汪洋，正所謂「天寒地凍」，如此命局，配上原有的名字，實在寒上加寒，當然不配合。後來改名為江圖，果然心境開朗，奮鬥性增強。

究其原因，「圖」乃紙張所成，紙張屬木，木能生火，得暖命局；「圖」字義有計謀向上之意，「圖」字形成四平八穩，四方有貴人，名成利就，指日可待也。

蔡一智動靜應時有君子之風

蔡一智眉寒之相防小人自身可也

心善就是積福，命運學為何時常強調做人要積福呢？因為，要知道一個人的命運如何，首先就必須要明白此人的相格是否平衡，所謂：「心相合一為正相，心相不調局不成！」

相局不分好與壞，好的固然大富大貴；壞的亦可安樂茶飯，只要其相局不破。有的富人，積惡成富，口是心非，口蜜腹劍，為富不仁，用滿口仁義道德掩飾其滿身的罪惡，借聖人之詞而欺世盜名，言而無信，無信之人，其相局必破，常言道：「相破滯運，局破折墮！」

研究命運，如何方知此人相局破？未言先笑者是：破桃花，荒淫而破敗，笑不留聲者是：破忠信，失貴者孤寡，笑不動皮者是：破仁義，無信反覆，笑吞嚥語者是：破福德，疑心而自困，笑而目瞪者是：破安祿，惱怒而招禍，笑中見愁者是：破財格，見財而起盜。凡破相局者，無法可解，惟可善化，故此研究命運的人，多勸人以心善積福，目的是令其心相平衡，其理實可理解。

「草蜢」蔡一智，言詞溫文，舉止淡定，但在舞台上，舞如脫韁野馬，歌如澎湃海浪，正所謂：「動靜應時，君子之風；陰陽不分，必招破敗，小人之行也。」

何家勁自言不向命運低頭

自從傳出何家勁的喉嚨有事後，何家勁曾在報章表明，絕對不向命運低頭。當然，他的勇氣與堅強在精神上是可嘉的，但是，命運與自信完全是兩回事。常言道：「英雄難與命運抗衡。」君不見楚霸王項羽，恨天無柱，恨地無環，這是何等之氣概。但是，卻始終難逃烏江自刎之劫數。而同一時期的韓信，封王至極，直迫天子。張良曾忠告韓信，退隱泉林，可保性命。但是當時的韓信得意忘形，那會聽張良的話，卒之，韓信死於劉邦的毒計之下。韓信在臨終時才後悔不聽張良的忠告，可惜時機已過，無法補救矣！由於張良知命，信五行，他知道不能在劉邦的「飛鳥盡，良弓藏，狡兔死，走狗烹」的妒才心理下求取功名，貪圖榮華富貴，於是他借故還鄉，從此雲遊四海，而逃出生天，得享天年之福，這是君子知命之理。

說到知命，民族英雄岳飛，在直逼朱仙鎮之前，遇一老僧贈言：「宦海無涯似火堆，東軍何必戀塵埃，不如早退泉林下，免卻風波一旦災！」岳飛那聽勸告，在十二度金牌的緊迫下終於死在風波亭內，更連累家人及部屬。在常理上，他是忠於天子，在命運學裡，他卻死於執着。常言道：「人因執着而失運！」

現代的人，得以歷史為鑑，相信命運，既沒損失，從而得到啟示，那又有何不可？

▲何家勁金木格，意志堅剛之格

五行風水學流行大馬

多年前，筆者到過馬來西亞，當時當地華人恐遭別人欺騙，於是把自己困在一個密不透風的小圈子裡，連語言、生活習慣、服飾、髮型……都各自保留，互相之間劃上了一道很深而看不見的界線。

近年來，由於馬來西亞政府的對外開放政策和香港電視錄影帶在當地的流行，於是，把當地各個民族的距離拉近了，連流通語言也改變了，即使是廣東話，如今在吉隆坡，差不多為了「統一了解」的語言。

至於五行風水之學，在馬來西亞，一直都非常流行，當然也還有其他的術法，如降頭、巫術、茅山、問米、請神等等。不過，近年來對風水認識和信任的人已非常普遍，可惜，當地人卻因為一部對風水學說存有歪曲成份的電視劇集上映後，而對風水之學有所動搖。

前文有說：「水能載舟，亦能覆舟；風水可以救人，亦可以害人。」因此，是否能遇上一個有功夫而又有德行修養的風水師傅，那就要看個人的福份及緣份了。在這裡，筆者不能保証術數界沒有害群之馬，但是，我們卻不能因噎而廢食。

相書有云：「鼻有肉，心無毒；行得正，心術正；眼神定，心不歪；言詞實，人正直；兩唇平，行亦誠。」只要明白相學，那就可量人而信了，豈能自我放棄積極人生呢？

▲ 馬來西亞地方政府房地產部長陳祖排博士對中國玄學非常有興趣

「風水」有如春夏秋冬氣候變化

俗語有云：「風水輪流轉。」

很多人都以為這是憤世嫉俗之語，殊不知此語是天經地義之言，就有如天地之關，日月之系，晨昏之別，炎寒之分，男女之異，生死之隔，水火之調，金木之候一樣，永遠不能共同相處，但卻互相依賴。

▲李香琴以心改相由奸變忠

風水之為物也，想則無形無物，見則有物有形；無論有形無形，風水都不停地轉，人亦一定受風水之氣影響，就有如春夏秋冬一樣，人只有默默地承受。

我們根據冷暖炎寒，換上不同的衣服，以適應不同的氣候需要；風水亦一樣，根據其不斷的變化、不同的角度，以改變其局勢，冀能收趨吉避凶之效、旺相生財之功，是以，「風水輪流轉」是千真萬確的。

筆者有個姓江的朋友，五年前請筆者看風水，當時筆者斷有五年運，果真行運五年，風生水起。

最近，他的生意一千丈，筆者笑他桃花誤事。他對筆者直言，桃花沒有破財，只是生意處處受剋，慘不堪言。這就是「夫妻同一命，各有不同山」之理，一向順境，突然失敗，這有何奇？古人論婚查三代就是這個原因。今人不惑，亂拈花草，自招其劫，夫復何言。

有藝壇長青樹之稱的李香琴，少時演奸角，被人唾罵，今日演忠角，受人歡迎，亦算是「風水輪流轉」矣。

搵食這邊獨好　移民回流香港

偶遇一個朋友，他非常高興地對筆者說：「我決定要移民了。」

一下子難以明白這位朋友為何如此高興，他可能忘記了一個道理；沒有富強的中國，我們中國人，無論去到哪方，都會被人欺負的。想當年舊中國時期，廣州沙面的一則告示：「華人與狗不得內進。」在我們自己的地方尚且如此，何況遠赴外洋，去到一個不認識的國度？這份感情，這份感覺，又情何以堪？難怪今日那麼多移了民的人都回流香港，再次尋找工作。

如果一個人，在命運中有機會到外洋發展，這當然是件好事，起碼這樣証明了自己曾經努力過，亦証明了自己的本領和能力。不過，別讓自己的子孫忘記了自己的故鄉，別忘記了自己的命運是否適合。很多人都曾經問過同樣的問題：「外國的地方，在風水學上是否與香港一樣？」有些人故弄玄虛，說甚麼南北極、東西命、東半球、西半球，各有各說。在風水學中如是說：「門前行人如錦織，不交元運也昌盛。」這說明了做生意的地方，只要人多往來，就自然適合做各行各業的生意了。又云：「風沙撲面滿天煙，縱交元運亦難居。」這又說明了，我們居住的地方，除了是否有運之外，周圍的環境亦是很重要的。

影視紅星吳麗珠驛馬朝歸，雙目有神，一生貴人扶持容易適應環境，故利於娛樂圈發展。

▲吳麗珠木形清秀之相

好的風水局以趨旺為吉

有個讀者問筆者：「哪一派風水最好？」

其實，五行的門派分別，只在於其源流出自哪個祖師，後人為了尊重前人教導的功勞，因而以祖師的名字立門戶。至於哪派風水最好，其實是不知情的人問的，有學識的人，懂得問，哪一位風水師好。因為，任何門派都有好的風水師，但絕對沒有一個門派個個風水師都好。五行的修養，完全視個人的修為而定，絕非由某個門派而定。風水的分別，目前最受人注意的有：「八宅、飛星、三元、三合、巒頭及六十四卦」等。至於好的風水局有九子連珠局、三般卦局、到山到水局、文昌得運局、財星得運局、桃花得運局。好的風水局給人們帶來好運。壞的風水局有上山下水局、陰陽倒轉局、財星受制局、文昌受制局、交劍局、鬥牛局、反弓局、逆水局、分水局、去水局、三煞局、五黃局、七殺局，甚至天斬煞，見墳墓的陰煞局等。壞的風水局就會影響人的健康、思想、財運、桃花運、文昌運等。

好的風水局，以趨旺為吉，在家宅的吉方擺吉祥之物，如經高人開光的牡丹花、山水畫等，壞的風水局，應以八仙圖、山水畫、或化煞之物等，擺在應擺的地方。在風水學中如是說：「水以衰為旺，以旺為衰」，因此，擺風水就要特別注意了。

聚財之宅　羅城緊密

筆者在馬來西亞風水演講會中，有很人上台問有關風水的問題。尤其是在風水學中，如何的宅才可聚財，聚財之宅，第一要爽而不散、潤而不濕、揚而不蕩、廣而不空，三面羅成緊密，上應於天、下應於地、中應於人、人應於運，此乃聚財旺丁宅。次而擺設佈局，旺於應格生，煞位應轉好，各適其位，萬物應轉自然，盡顯平衡之功，風生水起之道也！

至於財位，以水為財，以山為丁。門前若見馬路行車，有去沒回，此乃敗財局；所見之處，兩行車輛分道而去，此乃分流水，乃貧局。門前見枯樹禿枝，此乃病疾局。門前見吊頭果，山形探頭，此乃招盜賊之局，容易失財。門前見元寶、水聚，此乃聚財局。門前見山峰文筆，此乃文昌局，專出讀書人，門前花朵過門樓，此乃桃花局，當運之時桃花運、失運之時桃花劫。天橋高於門樓，此乃壓頭煞，易出病人或破相；天橋低於大門，此乃割腳煞，易出腳患風濕等病。至於有人說抱弓吉、反弓凶，如果是天橋，就不分抱弓反弓，都是煞氣。對面兩座大廈的中間空隙，為天斬煞，易招刀傷心痛。屋之外面動土，乃犯五黃煞，不利老人，家宅易招病疾，尤其腸胃之疾，更要防之。風水之道，無論如何之煞氣，都可以盡量化煞為財，反凶為吉的。

「吊頭果」難化　「殺人刀」更難化

風水之說，玄之又玄看似無形跡，實則驗如神。

有道是：五黃動煞，不利健康，更不利老人。筆者堪察風水十多年，屢見不鮮。或許有說這是巧合，那有何干？信又何失？

有云：「亂石出逆兒，水急無孝子！」

▲黃夏蕙掌軟如綿，富也

有誰敢說不是。不過，很多人習以為常，意為樣樣都歸究天意，不以為意，就有如：「與惡人交，如入鮑魚之肆，久而不聞其臭；與善人交，如入芝蘭之室，久而不聞其香。」其實，很多人正在吃包了糖衣的慢性毒藥，卻不見覺，果真有日醒覺，門前見亂石，用水化之；若見水急之地，以石龍化之，效果一定很理想的。

風水家云：「門前怕見吊頭果（柚類），屋後怕見殺人刀（芭蕉類）」

門前若見吊頭果，近則招賊劫兵災，遠則家宅不寧出盜賊，屋後若見殺人刀，近則招血光之災，遠則家宅不寧多爭執。門前吊頭果難化，亦可用應運銅錢化之，以兵退賊；殺人刀更難化，亦可用九頭燈趨旺化之，以旺氣化衰氣，此亦不失為上策，只要家宅平安，和氣自然生財。此乃化煞生財之術，讀者可作參考，定可得益也。

名女子黃夏蕙向來順得人意，分析分強，真有良禽擇木而棲，君子因人而信之哲理。

發達無定義　知足者常樂

有個學生問：「看風水能否一定發達？」

諸葛孔明有曰：「行事在人，成事在天。」所謂行事，在於盡了自己的能力和責任，能否成事，則要配合天時、地利、人和，缺一不可。如果不抱太大的奢望，無論成果怎樣，都是快樂的。總之，千萬不要給機會自己後悔，尤其是要知道如何珍惜目前所擁有的。人生在世，發達是沒有定義的，能否快樂，才是最重要。一個有快樂人生的人，首先懂得如何寬恕別人，和享受自己應得的成果。人不快樂，多為固執、自私，這更令人痛苦，正所謂：「一樣米養百樣人」，如之奈何。知機的人，明白進退，明白把握時機的重要性。

所謂時機，先由衣著、首飾、飲食、運動做起，如冬天穿棉衣，夏天穿薄衣，喜慶穿彩衣；催桃花穿粉紅、粉紫，運強忌紅色，運弱忌黑色、藍色；人肥肉厚穿金戴銀，人瘦肉垂宜玉器，陰柔的人宜鑽飾，至於翡翠之稀有寶物，古之皇親國戚都擁有，目的保運與催運；氣弱多咳的人忌寒涼及劇烈運動，運滯及面紅目赤者忌食鯉魚狗肉，性急的人少食牛肉而應多食蔬菜等，命書有曰：「身弱不能任財，又怕財重身弱。」由此而觀之，發達能有命享乎？

家居風水「串心煞」山水畫可化

一命、二運、三風水，命與生俱來，有人說：「落地喊三聲，好醜命生成」，這是先天。術數家有言：「先天為體，後天為用。」

為體者，既定的無法改變，如出身何等家庭、樣貌好醜、是男還是女、身體高矮肥瘦和強弱等。

為用者，乃後天的努力和思維的改變。一個有奮鬥心的人，會勤奮地工作和學習，得財知儉，改貧為富。俗語說得好：「大富由天，小富由儉。」致富之道，絕難靠橫財可成，故有「未曾見過賭仔買肥田」之說。

至於「大富由天」之說，此乃天時天機之謂也，人能聰明洞悉天機，還要有機緣巧合，再把握千載一時之機會，大業可成矣！故命運學有說：「男犯女心，一事無成，到老無依。」就是這個道理。

說到人能否聰明而洞悉天機，此乃先後天配合而來；先天者，乃家庭背景，祖宗山墳；後天者，乃陰陽相配，家居風水。

家居風水中，很多人最易犯「串心煞」（大門對正房門、房門對正床頭，床頭對正窗口；或寫字樓大門與辦公室門、老闆座位、窗口成一直線）。此煞不單破財，還會影響人的思想，甚至病疾、血光之災、婚姻破裂、桃花劫等。一個風水好的地方，會令人的思想正確、冷靜、勤勞而有奮鬥心，因而積財成富。

改變「串心煞」的格局，最有效的方法是以山水畫或適合的畫作屏障，即可化災。

窮則變　變則通

俗語有云：「君子問凶不問吉，未曾問富先問窮！」

有道是，窮則變，變則通，何窮之有哉；窮者，盡也、歿也。

大富之人，其言輕率，言而無信，其德行窮也，其誠信盡也，其人格歿也；雖生何榮？縱不折其福，亦折其壽，君不聽：「我雖不殺伯仁，伯仁由我而死。」之典故？為富不仁之人，其惡不亞於虎，所沽名釣譽之善行，難補其過也。

論窮之道，貧者，亦為窮；命壞運差不算窮，因非久貧也。

世間上有六窮，縱富亦窮，一入窮途永難復生之窮，此乃真窮。

天下第一窮：終日睡至太陽紅。第二窮：煙花之地逞英雄。第三窮：吞靈吐霧酒意濃。第四窮：牌九桌上爭氣豪。第五窮：說人長短是非蟲。第六窮：固執無顏不歡容。

正所謂九九之數，六六無窮，九九之數乃天象之數，風水家就用九九之數作為改變命運之依歸；六六之數乃世間有六窮，存六窮者永不復生，去六窮者無窮，富矣。

胡渭康獨闖大馬發展成功

人生存於世上，根本就是一連串的問號；有的問號根本不須理會，有的問號卻不能不理。試問有誰能把自己心中的問號完全解答了才過世呢？

有些人，不問今生問來世，這種人是有福的；有些人，只問前世，不問今生，這種人是消極的；有些的，只問今生，不問前世後世，這種人是積極的；有些人，又問前世，又問今生，又問來世，這種人是煩惱的。

煩惱的人和消極的人應該積極，積極的人應該積福；天地萬物，本來就是生生息息。五行遁化，只是根據日出日落的時間空間，不同方位的磁場，把握陰陽之理，以循化天機，解答人世間

▲ **胡渭康驛馬勝空遠方發貴**

各種不同的問號，這就是「正道五行」。

有些人研究五行，以為金剋木，就是木怕見金，其實，木要賴金之雕琢方可成材；火剋金，其實金無火不成器；水剋火，火無水而凜烈成災；土剋水，水多無土堤而泛濫；木剋土，土無木疏而臭。

因此，五行的互相依賴是沒有限制的；人與人之間的關係亦一樣，沒有規定誰沒有了誰就不能夠生存。人之所以走在一起，其實亦是由於互相任而互相依賴。

人生一連串的問號，由明理而化解，由知機而創造美好人生。

名歌星胡渭康當年以「小虎隊」而成名，如今單獨在馬來西亞發展，亦同樣地成功，這足以証明時間空間的重要。

練氣功有助改善後天修為

▲朱兆基與學員一齊練氣功

有個研究五行的朋友問：「何以為人多疑自斷其福？何以為人多妒自斷其運？」

筆者曰：「疑心重只因無知，多妒者只因無能，故無福無運，理所當然也。」

友問：「何等相無知、何等相無能？」

筆者曰：「眉重目暗者無知，面小鼻小者無能。」

友問：「何解？」

相經有云：「眉為霞霧，眼為日月，霞霧氣重，兩眼朦朧，雙目俱暗，人必渾沌。」人既渾沌，必定多疑；人若多疑，貴人必失；人無貴人，其途必窮，故自斷其福。

相經又云：「面大鼻細，為秀才之格。」

鼻為中土，號令四方；面之左右為東西兩嶽，中土受欺，其志不遂，財稀志高，孤芳自賞，為賦新詞強作愁，難得呼應；眼見勤勞的人成功，幾許春秋，依然故我，因而生妒，多妒則虛亂，故無運也。

常言道：「相隨心生，渾隨志轉，福隨善改，命隨修定。」是以無運無福并不怕，後天命運隨修為而定吉凶。

佛家曰：「一忍可化萬劫。」道家曰：「一靜則枯木重生。」儒家曰：「一動則千變萬化。」無論忍、靜、動，俱可由氣功修練而成也。

梁挺師傅將詠春發揚光大

幾千年前，我們的祖先就發明了火藥、印刷術、指南針和紙張。

及後，更出現了神農氏的中藥本草學、伏羲氏的河圖洛書水利發展學、魯班先師的杠桿建築學、華佗氏的外科削骨療傷手術、孫子兵法、李時珍的傷寒內科醫術、孔

▲ 朱兆基與朱鶴亭老師一齊論梁挺的相格

夫子編寫易經、老子的氣功養生術、文王的卜卦術，還有皇極世經等，不勝枚舉。至於武術，由幾年來累積至南北少林的出現，把所有武術的精粹匯集和改編，就出現了南拳北腿，「外練筋骨皮，內練一口氣」之說。

凡這些中國優良的發明，在中國幾千年來，成了傳統性的流傳下來。時至今日，這些傳統已成為世界很多先進國家研究和學習的對象。說到中國武術的發揚，李小龍首據其鋒，說到推廣，則應視梁挺為榜首矣！兩者俱為詠春派葉問的入室弟子。

李小龍雖然瘋魔世界，可惜無壽；梁挺則默默耕耘，踏踏實實的向世界各地傳授詠春拳，現今其屬下的支部已達三千多家，更被德國權威武術雜誌為譽為「武術界的成吉思汗」。同時，東歐多國的特種部隊更請梁挺擔當教練之職。梁挺師傅如此武相：「顴插天倉護邊城，準頭山根向天庭，目神如炬勢如迫，耳豎如飛似鷹翔。」

「尋龍追脈」論福澤而定之

古語有云：「色乃削肉之鋼刀，財乃引禍之根源。」有人因色而拋妻棄子，因財多而迷失本性。

命書亦云：「命中財旺無限，危於旦夕」，故財之為物，因時而用之，因人本命之不同而論之，朝夕之發富，豈知禍福焉。

筆者有弟子「佛爺」，好尋龍追脈，動輒非獅非象不尋，非龍非鳳不追，實有違研究之道也。

俗語說得好：「好命冇幾多條，順境冇幾多朝。」如果人人都要找獅象守河口、九曲有來朝，迎送有情，龍盤鳳立的地，哪有這麼多好地？更何況，風水之地，有德者居之，不可強求，亦無可妒忌也。

很多人都說「風水輪流轉」，可明其理乎？風水流轉之道，實祖宗之山地，以坐向論之，左方主一、四、七房，正方主二、五、八房，右方主三、六、九房，以九星地運排列先後次序，先發者二十年，後發者亦二十年。

▲徐小明與作者合攝

　　有人見長房發，己不發，故而毀之；豈料風水流轉，發到自己時，因山地風水已被自己毀壞，故非但不發，更有禍殃，世人謂之報應者是也。

　　山地之學問，究之不盡，逢煞改之，遇敗修之，故有陰陽倒轉法、偷天換日法、借煞為用法等等。無論何術何法，以德論，實天機也。大導演徐小明，乃作者的老朋友，研究風水命運二十多年，心得與修為，都非一般常人可比，高人也。

趙文卓相格剛直心相合一

有學生問：「有人常說自己有義，為何相格不符？」

有人常說自己好心？為何卻心毒如蛇？

箇中的道理，非一般人所能明白。常言道，苦口良藥，笑裡藏刀，此能道破一二矣。

其實，無能者，其言必誇；想害人者，其言必誘；想侵人者，其言必惑；想誘人者，其言必巧。心毒之人，必先自言己善；出賣朋友之人，必先自言己義。無論種種，都是欲蓋彌彰，製造混亂，令人疏忽。佛家有言，智者從善，萬人得福；智者從惡，萬人得禍。真善哉也。筆者識一人，其相格：鼻尖削而山根拔，奸門陷而額低，言而咬齒，走而扭腰，坐如針櫈，出言必定傷人，言中必定讚己。其格之卑劣，人所共知。其所到之處，人皆退避，免招禍殃；避無可避，唯言諾諾，無人敢敵其鋒。

如些之人，常對人言，所識之人，無不讚其心善貌美；其沾沾自喜、自鳴得意之情，實令人不寒而慄。其名貴衣裳下所掩蓋之心，實難以筆墨所形容。其可恥和污穢，真無可奈可。

飾演新一代黃飛鴻的趙文卓，其相格剛直，心相合一，難怪演出絲絲入扣。正是有諸內而形諸外也。

▲趙文卓金木形相性格硬朗

犯太歲應如何解救？

很多人都會問：「犯太歲是怎麼一回事？如果犯太歲又應如何解救？」

其實，真正犯太歲的定義是，於八字用神裡分辨本年的太歲是否有利和有害的。但是，社會上一般膚淺的辦法很強調以年衝太歲的就是犯太歲，其實這並非肯定的，不過以一般習慣來說明太歲的喜忌，亦未嘗不可。

倘年太歲屬豬，由於在五行中，亥與巳是相衝的，因此說成屬蛇的人犯太歲，而寅與申是相沖的，那又說屬猴的人犯了太歲。姑勿論犯不犯太歲，每年新春誠心作太歲福，祈求貴人護身，一年平安大吉、發財，年尾還神酬謝神恩，那就心安理得矣！

例如乙亥年豬年，地支屬水，天干屬木，屬天地相生局，無論任何生肖的人，從事任何行業之人，於該年中，冀望重新發展和立業的，其機會都是有的。不過，由於太歲平淡，過大的投資需特別小心點為上。之前有說，屬豬與屬蛇的人，屬犯太歲，那當然需較為特別留意了，尤其是因食而影響腸胃的疾病，屬馬、羊、狗、虎，兔生肖的人則較為有利，特別是健康與財運，屬牛、鼠、龍的人則易招是非，但財運卻是好的，屬猴、鼠的人則避免擔免擔保借貸，那就平安大吉矣。

其實，在每一個人的運程中，都離不開五行的相刑、相生、相剋、相沖、相合、相旺，倘若其太歲屬狗，五行屬土，地支屬戌，天干甲木，在五行沌化中，天干剋地支，因此，全年運勢雖向好，但仍是美中不足，反覆中會出現人心不安，不過，這只是太歲的影響而矣，看一年的流年，不但要明白太歲的所用，還要看一個人自己的生肖五行與太歲的關係，例如，倘若

太歲屬狗，與龍相沖，與兔相合、與馬、虎相會，與雞、猴相生，與羊、牛相刑，與豬、鼠相剋，與蛇相旺。

上述所言亦未完全表明了任何一個生肖的人會好或會壞，因為每一年的運程除了太歲外，更重要的是，每年的三煞方居於何處，因為三煞方直接影響每個人的財運、健康、權力、夫妻感情，俗語說得好，三煞不可動，意思指三煞方不宜亂動土、移動或震動，其實最嚴重的就是動土，其餘次之，倘若一旦動於三煞，禍害立見，例如甲戌年，三煞位於北方，如欲動土，可免則免。很多影視界紅星每年必邀請筆者堪察家居風水，冀能達趨吉避凶之效，得於事業的發展。

桃花過盛過冷或過尊皆有劫

▲郭錦恩笑如弓、旺夫益子之相

有學生問：「如何論離婚的女相？」

在理論上言，容易走上離婚之路的女相有三種：第一種：桃花過盛近乎淫，第二種：桃花過冷近乎寡，第三種：桃花過尊近乎霸。此三種女相易招桃花劫。

桃花過盛的女相，其特徵有三：第一，蛇行鼠步身搖擺，此格主其盪。第二，眼笑帶淚頻騷首，此格主其淫。第三，未言先笑手足舞，此格主其亂。凡三樣齊的女相，縱不離婚亦必定多夫。若一旦逢劫，定必離婚矣。桃花過冷的女相亦有三：第一，眉直合嘴不言笑，此格我行我素，不問人生死。第二，昂頭目直鐵板腰，此格目中無人，不理衣裝頭髮亂。第三，髮糙眉硬行擦地，其格心狠腸硬難商量，一意孤行任山崩。凡三樣齊的女相，縱然有夫亦如尼，一旦逢劫，不離婚就奇矣。桃花過尊的女相亦有三：第一，鼻直透頂準無肉，此格主自私聰明性格強。第二，顴企肉橫眉露骨，此格主霸道無情膽又大。第三，神緊咬齒又頸縮，此格主固執狠毒又尊橫，縱然有夫亦作籠中獸，不許旁人一目朝。凡三樣齊者，一旦逢劫，姻緣斷矣。

影視紅星郭錦恩，印堂明潤，顴鼻對稱，嘴角玲瓏笑似弓，乃為旺夫益子之相也。

過份執着　徒增煩惱

命運，有如日出日落一樣，不停在轉，循環不息，看似順其軌跡而行，實卻飄忽不定，只視能否察覺矣。

日月之變，在乎軌跡的不同而產生炎寒，陰陽交媾，孕育大地。命運之變，在乎個人後天的努力而產生能力，適當發展，以定吉凶。

人隨着各種不同變化而使到身形、顏容、相貌、皮髮、心態、思想、感情、行為、喜惡等不斷在變，因而產生了尊卑感覺、愛恨關係、環境等不同觀點，什麼的海枯石爛、千年萬載，能經得起世態的磨煉否？有的人眷戀青春少艾，愁絲自困；有的人以己比人，痛苦不堪；有的人不忘昔日光輝，徒呼奈何；有的人只記着十五歲時的讚美，至今五十念念不忘，只知怨懟別人不識欣賞，不知時移勢易，誠屬可憐。

光陰的飛逝，真令人無奈。有人說命運在作弄人，不如說自己作弄命運。無論天地、人物如何幻變，為了追尋自己的幸福，人必須要遷就環境，適應環境，無論是否願意，這就是時間空間，切勿自欺欺人，做人過份的執着，徒令自己走進死胡同，不能自拔，失運也。

梅雪詩艱苦磨練貢獻社會

論眼目之法，首忌凸目，凸目多凶；次忌露三白，三白性古怪，古怪多失運；三忌面大眼小，此格之相人多疑，多疑無福；四忌濃眉暗目，此格桃花多而招劫，運途多滯無運；五忌眼如含淚，此格每多刑剋，自刑多疾；六忌眉亂而目閃，此格多是非而多忌，屬無福無壽之相；七忌目陷而無神，此格無財多慮而失運；八忌眼大而無神，此格心慌易驚而多疑無運；九忌眼現紅筋而目暗，此格易招凶險而暴卒；十忌陰陽不協眼傾斜，此格多逢鬼怪，多暗病。

凡犯眼相十忌者，都應以積善積德為首，次求氣功之助，方可改變命運，上策也。

說到改運，很多人都非常執着；有時雖然犧牲小小，可以收穫多多，但是因為眼前的吃虧，很多人都辦不到，何談吞吐天地之氣慨？

在這世界上，能有些微成功的人士，他們所犧牲的能以斗量車載乎？

粵劇名花旦梅雪詩，今日的成就當然令人羨慕；但是，有誰還記得她初入粵劇行時的艱辛磨練；時至今日，她為了保持自己既有的成就，還不斷犧牲私有的時間貢獻社會，實當今之女中豪傑也。

▲梅雪詩顴鼻有力，女中豪傑也